suhrkamp taschenbuch 168

Peter Handke, 1942 in Griffen (Kärnten) geboren, lebt heute in der Bundesrepublik. 1973 wurde er mit dem Georg-Büchner-Preis ausgezeichnet. Prosa: *Die Hornissen; Der Hausierer; Begrüßung des Aufsichtsrats; Die Angst des Tormanns beim Elfmeter; Chronik der laufenden Ereignisse* (Filmbuch); *Der kurze Brief zum langen Abschied; Wunschloses Unglück.* Stücke: *Publikumsbeschimpfung und andere Sprechstücke; Kaspar; Das Mündel will Vormund sein; Quodlibet; Wind und Meer* (Hörspiele); *Der Ritt über den Bodensee; Die Unvernünftigen sterben aus.* Gedichte: *Die Innenwelt der Außenwelt der Innenwelt.* Reader: *Prosa, Gedichte, Theaterstücke, Hörspiel, Aufsätze; Ich bin ein Bewohner des Elfenbeinturms, Aufsätze.*

Als Personifikation kapitalistischer Denk- und Handlungsweisen geraten szenische Porträts von Unternehmern nur allzuleicht zum monströsen Klischee perfider Unterdrückungs- und Ausbeuterpraktiken. Peter Handke entgeht dieser Gefahr, indem er seinen Personen von vornherein einen unwirklichen, geradezu alptraumhaften Zug verleiht. Nichts macht das Ausmaß der Entfremdung deutlicher als der feinsinnige Plauderton, mit dem der Unternehmer Quitt und seine Kollegen über das Kartell der Produkte und Preise beraten. Quitt, der sich als einziger nicht an das Kartell hält, läuft am Schluß solange mit dem Kopf gegen eine Felswand, bis er liegen bleibt. Er scheint das Aussterben einer Art von Unternehmertum anzuzeigen, dessen rücksichtsloser Wille zur Profitmaximierung auch den ruinösesten Wettbewerb nicht scheut. Anstelle des Wettbewerbs tritt die Absprache. Die Märkte werden aufgeteilt, die Konkurrenz in einem vernünftigen Sinne ausgeschaltet.

Falsch wäre, Handkes Stück auf diese Botschaft zu reduzieren. Als facettenreiches Porträt zeitgenössischen Unternehmertums weist es nach, wie die ganz auf Kapital und Besitz ausgerichteten Interessen die Persönlichkeitsstruktur bis in den privatesten Bereich hinein deformieren. Es zeigt zugleich das offenkundige Ende eines Rollenbewußtseins, das Individualismus als wichtigstes Prinzip von Welterfahrung postuliert.

Peter Handke
Die Unvernünftigen
sterben aus

Suhrkamp

suhrkamp taschenbuch 168
Erstausgabe
Erste Auflage 1973
© Suhrkamp Verlag Frankfurt am Main 1973
Suhrkamp Taschenbuch Verlag
Druck: Ebner, Ulm · Printed in Germany · Um-
schlag nach Entwürfen von Willy Fleckhaus
und Rolf Staudt

»Auf einmal fällt mir ein, daß ich etwas spiele, das es gar nicht gibt, und das ist der Unterschied. Das ist die Verzweiflung.«

Personen

HERMANN QUITT
HANS, sein Vertrauter
FRANZ KILB, Kleinaktionär
HARALD V. WULLNOW
BERTHOLD KOERBER-KENT
KARL-HEINZ LUTZ
PAULA TAX
QUITTS FRAU

} Unternehmer und
Freunde von Quitt

1

*Ein großer Raum. Von der Seite scheint die Nach-
mittagssonne herein. Hinten, wie durch ein riesiges
Fenster, die entfernte Silhouette einer Stadt.*
*Quitt, im Trainingsanzug, bearbeitet mit Fäusten,
Füßen und Knien einen Sandsack. Sein Vertrauter
Hans, im Frack, steht mit einem Tablett und einer
Flasche Mineralwasser daneben und schaut ihm zu.
Quitt trinkt aus der Flasche, schüttet sich auch
etwas über den Kopf und setzt sich auf einen
Hocker.*

QUITT Ich bin heute traurig.

HANS Ja und?

QUITT Ich sah meine Frau im Morgenmantel und ihre
lackierten Zehen und fühlte mich plötzlich einsam.
Es war eine so sachliche Einsamkeit, daß ich jetzt
ganz selbstverständlich davon reden kann. Sie
erleichterte mich, ich verkrümelte, schmolz in ihr
weg. Die Einsamkeit war objektiv, eine Eigenschaft
der Welt, keine Eigenheit von mir. Alles stand von
mir abgewendet, in einer sanften Harmonie. Beim
Scheißen hörte ich meine Geräusche dabei wie von
einem Unbekannten aus einer Nachbarkabine. Als
ich mit der Straßenbahn ins Büro fuhr –

HANS Um den Kontakt mit den einfachen Leuten
nicht zu verlieren und ihre Bedürfnisse zwecks Produktion neuer Produkte zu studieren?

QUITT – schnitt mir die traurige Kurve, die die Straßenbahn in einem weiten Bogen einmal beschrieb,

wie ein Sehnsuchtstraum tief in das Herz.

HANS Dem Herrn Quitt schnitt der Weltschmerz in das Gemütt.

Sie müssen vernünftig bleiben, Herr Quitt. In Ihrer Klasse können Sie sich solche Zustände nicht leisten. Ein Unternehmer, der so spricht, auch wenn ihm danach zumute ist, deklamiert nur. Ihre Gefühle sind Luxus, unnütz. Nützlich wären sie denen, die danach auch leben könnten. Schenken Sie zum Beispiel mir, Herr Quitt, den Weltschmerz aus Ihrer Freizeit zum Nachdenken über meine Arbeit. Oder –

QUITT Oder?

HANS Oder werden Sie Künstler. Violinkonzerte finanzieren Sie ja schon, und auf offener Straße ließen Sie sich herab, für den staatlichen Ankauf eines Gemäldes zu sammeln. Für einen Künstler ist ein Gemütsleben wie das Ihre vom soundsovielten dieses Monats nicht nur nützlich, sondern sogar notwendig. Malen Sie auf eine Leinwand die Kurve, die der Sehnsuchtskurve Ihrer Straßenbahn entspricht, und verkaufen Sie Ihr Erlebnis als Bild.

QUITT *steht auf:* Hans, du spielst deine tägliche Rolle schon wie etwas Auswendiggelerntes. Liebevoller, bitte! Erfühlter!

HANS Und wie Herr Quitt gerade aus seiner Rolle fiel, das war auch nur ein Spiel.

QUITT Wir wollen nicht spitzfindig werden. Ich gebe ja zu: einem Lehrmädchen, das mich in der erwähnten Straßenbahn aus meinen Gefühlen riß, indem es in meinem Rücken nach altem Öl stinkende Pommes frites verschlang, hätte ich liebend gern im Handumdrehen eins ins Gesicht geschlagen. Andrerseits: kurz darauf stieß ich auf der Straße mit einem Gastarbeiter zusammen: der war ganz in die Fotos vertieft, die er gerade aus einer Drogerie geholt hatte, und grinste dabei so in Erinnerung versunken, daß ich mich sofort miterinnerte und auf einmal mit ihm solidarisch fühlte. Du lachst, aber es gibt Momente, in denen auch das Bewußtsein einen Qualitätssprung macht.

HANS Und das Sein holt es dann bald wieder heim. Ich lache allerdings deswegen, weil ich Sie oft erzählen hörte, wie gern Sie an Ihre Wanderjahre denken, als Sie zum Beispiel in Paris tagelang nur von Tüten mit Pommes frites lebten.

QUITT Als ich das erzählte, war ich aber in Gesellschaft. Und in Gesellschaft erwähne ich manchmal auch »die Buschwindröschen unter den Haselnußsträuchern aus den Vorfrühlingen meiner Kinderzeit«.

HANS Erleichtert das Musische denn die Verhandlungen?

QUITT Ja: indem es als Allegorie dient für das, was schamhaft verschwiegen wird. Die Buschwindröschen unter den Haselnußsträuchern bedeuten dann eben etwas ganz anderes. Was, das wissen nur die jeweils Sprechenden. Das Poetische ist für uns eine Form des Geschichtlichen, wenn auch nur eine Umgangsform. Ohne Poesie würden wir uns unserer Geschäfte schämen wie die ersten Menschen. Wer kommt übrigens heute im einzelnen?

HANS Karl-Heinz Lutz, Harald von Wullnow, Berthold Koerber-Kent, Paula Tax, sämtlich Unternehmer und Freunde von Quitt.

QUITT Ich muß mich noch umziehen. Wenn meine Frau kommt, sag ihr, sie soll sich um die Gäste kümmern – dann kann man sicher sein, daß sie zum Shopping fährt und nicht die ganze Zeit in ihren Räumen Vorhänge zieht. Ich bin übrigens wirklich traurig. Fast ein heimeliges Gefühl...
Ab.

HANS Wie leicht der Quitt von sich erzählen kann! Man beneidet ihn um seine Traurigkeit. Wenn es ihm gut geht, ist er freilich fremd und unnahbar, reibt sich nur kurz die Hände und hüpft einmal auf, das ist sein Rumpelstilzchentanz. *Er setzt sich auf den Hocker.* Und was ist mit mir? Ich bin heute was? Was durfte ich fühlen, als? Die Sonne ging auf und schien mir in den offenen Mund. Ich hatte nichts geträumt. Schon die Mundstellung, wenn man »träumen« sagt, ist mir zuwider. Beim Zähneputzen blutete das Zahnfleisch. Ich hätte gern. Aber es war nichts. *Pause.* Ich: stellte den Fleischzettel zusammen. Wer bin ich, woher komme ich, wohin gehe ich? Ich habe den Namen des Allerhöchsten ohne zwingenden Grund in den Mund genommen. Ja, ich! Immer ich. Warum nicht ein andrer? Mit besten Grüßen, Euer Hans.
Er steht auf.

Im Hintergrund erscheint der Kleinaktionär Kilb.
HANS Ich kann mich an nichts von mir persönlich erin-

nern. Zum letzten Mal war von mir die Rede, als ich den Katechismus lernen mußte. »Meine Wenigkeit« von »Euer Gnaden«. Einmal hatte ich einen Gedanken und vergaß ihn gleich wieder. Bis jetzt versuche ich mich an ihn zu erinnern. So bin ich nie zum Denken gekommen. Aber ich bin bedürfnislos. Immerhin leiste ich mir noch einige Gesten. *Er ballt die Faust, schiebt sie aber mit der andern Hand gleich wieder hinunter. Er bemerkt jetzt Kilb.* Wer sind Sie, woher kommen Sie, undsoweiter.

KILB Ich heiße Franz Kilb, woraus Sie schon schließen können, daß ich nicht viel bin.

HANS Wir haben hier nichts gegen Namen. Und was sind Sie?

KILB Ein Kleinaktionär.

HANS Vielleicht der Kleinaktionär?

KILB Ja, der Kleinaktionär Franz Kilb, der Schrecken der Aufsichtsräte, der Hanswurst aller Hauptversammlungen, die Zecke im Nabel der Wirtschaft mit dem Lästigkeitswert 100 – ich bin es, der sich wieder einmal mausig macht.

HANS *tritt mit geballter Faust vor und hält sie Kilb vor das Gesicht, zeigt mit der andern Hand hinaus.*

KILB Das ist nicht Ihr Ernst.

HANS *tritt wieder zurück und läßt den Arm fallen:* Schön wäre es. Aber mein Ernst ist immer nur der Ernst eines andern. Trotzdem: Halten zu Gnaden – verschwinde.

KILB *setzt sich auf den Hocker.*

HANS Jetzt erzählen Sie also die Geschichte frei nach Ihrem Leben.

KILB *geheimnisvoll:* Von jeder großen Aktiengesell-
schaft im Land besitze ich eine Aktie. Ich reise von
einer Hauptversammlung zur andern und über-
nachte im Schlafsack. Ich fahre mit dem Rad, hier
sehen Sie die Fahrradklammern. Ich bin ein Jung-
geselle in den besten Jahren, meine Reflexe funktionieren. *Er schlägt sich ans Knie und stößt mit
dem Fuß Hans.* Das ist mein Fahrtenmesser, im
Dritten Reich machte ich mein Freischwimmer-
zeugnis, ich kann Sie mit den Zähnen aus dem
Wasser ziehen. Es gibt Leute, die mich verehren,
aber ich setze meine Unterschrift unter keinen
Wahlaufruf. Einmal trat ich in »Was bin ich« auf,
ich bezeichnete mich als selbständig, niemand
erriet mich. In den Hauptversammlungen sitze ich
mit Rucksack und halte die ganze Zeit den Arm
hoch. Hauptversammlungen, in denen der Vor-
stand eine Wortmeldung übergeht, sind ungültig . . .
Diese Ruhe hier. Hören Sie, wie ruhig ich spreche.
Mein letztes Verhältnis nannte mich dämonisch, in
der Presse – *er zeigt schnell ein paar Zeitungsaus-
schnitte* – werde ich als schrullig bezeichnet. Ich bin
schneller als Sie denken. *Er hat Hans ein Bein
gestellt, und der ist auf die Knie gefallen.* Ich lebe
von meinen Dividenden und bin ein freier Mensch,
in jedem Sinn. Mein Wahlspruch lautet: »Wer für
mich ist, hat nichts von mir; wer gegen mich ist, der
wird mich kennenlernen«. Ich warne Sie.

*Quitt kommt zurück. Kilb steht sofort auf, verbeugt
sich und tritt zurück in den Hintergrund.*

QUITT Der sattsame Herr Kilb. *Zu Hans:* Hör auf, deinen Frack abzuklopfen. Als ich mich gerade umzog und in den Spiegel schaute, kam es mir auf einmal lächerlich vor, daß mir Haare wachsen. Diese unempfindlichen teilnahmslosen Fäden. Ich saß auf dem Bett und hielt den Kopf in den Händen. Wenn ich den Kopf noch länger so halte, hören alle Gedanken auf, dachte ich nach einiger Zeit. Übrigens war ich richtig über mich gerührt, als ich in meiner Traurigkeit die am Morgen von mir selber zurückgeschlagene Bettdecke sah. Ich werde dir beweisen, daß meine Gefühle brauchbar sind.

HANS Passen Sie auf: Wenn Sie das noch einmal sagen, dann meinen Sie es plötzlich auch. Im Ernst: Von einem verrückten Unternehmer ist mir noch nichts zu Ohren gekommen. Nur die Fremdbestimmten werden sich selber unheimlich. Aber Sie sind gar nicht fähig, uneins mit der Welt zu sein. Und wenn, dann machen Sie Kapital daraus.

QUITT Du wirst schematisch, Hans.

HANS Aus Redezwang.

KILB Fragen Sie ihn nach seinen Eltern. Sein Vater war Schauspieler. Seine Mutter machte Puppen, die sie nicht verkaufen konnte. Beide kehrten von einer Weltreise nicht wieder. Sie sollen sich in einen Vulkan gestürzt haben. Er ist das einzige Kind.

QUITT *zu Hans:* Ich bin nicht krank. Reden wir von etwas anderm.

Pause.

KILB Zum Beispiel von der Unsterblichkeit der Seele?

Pause.

QUITT Ich bin deswegen nicht krank, weil ich, als Hermann Quitt, ganz so sein kann wie mir zumute ist. Und ich möchte so sein wie mir zumute ist. Ich habe das Bluesgefühl, Hans.

Pause.

Andrerseits komme ich manchmal irgendwohin und glaube, mich in der Tür geirrt zu haben. Gleich wird man mich fragen, wer ich bin. Oder ich stehe in meinem leeren Büroraum plötzlich auf einer schiefen Ebene, sehe den Bleistift von der Tischplatte rollen und alle Papiere herunterrutschen. Sogar wenn ich hier hereinkomme, beschleicht es mich oft, ich sei in eine fremde Wohnung eingedrungen. Oft denke ich beim Anblick eines vertrauten Gegenstands: Wo ist da der Schwindel? Lang Bekannte rede ich auf einmal mit Sie an. Das ist nicht nur ein alter Traum. Aber ich wollte von etwas anderem reden.

Pause.

KILB *hebt den Arm.*

QUITT *ist plötzlich mit dem Kopf gegen den Sandsack gerannt.* Was ist noch möglich? Was kann ich noch tun? Kürzlich fuhr ich durch die Vorstadtstraße, in der ich früher täglich gegangen war. Da sah ich eine alte Litfaßsäule wieder. Damals war ich öfters drum herumgegangen und hatte alles gelesen. Jetzt war die Säule fast leer, nur ein Plakat noch drauf, mit Reklame für eine Trockenmilch, die es gar nicht mehr gibt. *Er hebt die Arme.* Im langsamen Vorbeifahren sah ich in Erinnerung die

14

Plakate aller vergangenen Schokoladetafeln, Zahn-
cremen und Wahlen, und in diesem milden Moment
der Erinnerung bekam ich ein tiefes Gefühl für das,
was Geschichte ist.

KILB UND HANS *gleichzeitig:* Und da verbrüderten
Sie sich mit Ihrem Fahrer?
Pause.
Es hupt.

QUITT Das ist Lutz. So hupt er auch abends, wenn er
nach Hause kommt. Es ist das Zeichen für seine
Frau, den Mikrowellenherd, made in Japan, einzu-
schalten. Hilf ihm aus dem Mantel.
Hans ab.

KILB *tritt vor:* Wie war die Geschichte mit Ihren
Eltern?

QUITT Nicht eindeutig genug. Ich träumte einmal,
daß mir die Haare ausfielen. Da sagte mir jemand,
ich hätte eben Angst, impotent zu werden. Vielleicht bedeutete es aber einfach nur, daß ich Angst
vor Haarausfall hatte.

KILB Aber warum haben Sie Angst vor Haarausfall?
Was bedeutet das zum Beispiel? Übrigens habe ich
Sie vor kurzem gesehen. Sie saßen auf einer Bank
am Fluß, ziemlich geistesabwesend in die Natur
vertieft.

QUITT Wieso geistesabwesend?

KILB Nicht einmal den Taubendreck hatten Sie von
Ihrer Bank gewischt. Außerdem sind Naturbe-
trachtungen nach meiner Erfahrung schon das erste
Zeichen für ein Nachlassen des Wirklichkeitssinns.

15

Auch zuckten Ihre Augenlider nur ganz selten, wie bei einem Kind.

QUITT Oh, erzählen Sie weiter. Es ist schön, eine Geschichte von sich selber zu hören.

KILB Ich ging mittagessen, Eisbein mit Sauerkraut. Schließlich war ich auch noch da.

QUITT Kilb, ich bewundere Sie seit langem. Mir gefällt Ihre Rücksichtslosigkeit. Daß Sie mich letztes Mal als Puppe mit in die Hauptversammlung brachten und ans Rednerpult hängten! Daß Sie sich an Händen und Füßen aus dem Saal tragen ließen! Ich beneide Sie auch. Ich fühle mich neben Ihnen eng in meiner Haut und merke, wie begrenzt ich bin. Da wir gerade allein sind, kann ich Ihnen das sagen.

KILB *zieht ihn an beiden Ohren an sich heran und schmatzt ihm einen Kuß auf die Lippen.*

QUITT *versetzt ihm einen Tritt.*

KILB Damit der frühere Zustand wiederhergestellt ist. *Er zieht sich zurück.*

Hans führt Lutz, von Wullnow und Koerber-Kent herein. Koerber-Kent vertritt als Unternehmerpriester eine Firma der katholischen Kirche; er ist in Zivil, trägt nur einen weißen Kragen.

LUTZ *zu seinen Kollegen:* Wie gesagt, wir waren nicht die ersten. Wir beobachteten erst einmal, ließen sie sich hinaufschaukeln. Dann bekamen wir grünes Licht aus den Überseefilialen, sprangen auf, und sie purzelten herunter. Er versuchte natürlich zu pokern, aber wir waren ihm schon längst auf die

Schliche gekommen. Wir ließen ihn noch ein wenig zappeln und steckten ihn dann in den Sack.

Sie lachen auf verschiedene Arten.

v. WULLNOW *zu Quitt:* Originell, das Fahrrad, das an deinem Zaun lehnt! Ein ähnliches schenkte mir mein Vater damals im Osten zugleich mit den ersten Knickerbockern. So reell wird ja jetzt nicht mehr gearbeitet. Statt ein Rad als Rad zu verkaufen, verkleidet man es als Maschine, mit Tachometer und Hupe. Und eine Maschine darf natürlich abnützbarer sein als ein einfaches Rad. Auch gehört zu Maschinen, daß sie veralten, ein Rad könnte das nämlich nicht. Fährst du damit ins Büro?

QUITT *zeigt auf Kilb.*

v. WULLNOW Ich habe mich gleich gewundert, daß es so verdreckt ist.

LUTZ Ich nehme ihn am Arm. Wer nimmt die Beine?

QUITT Und wenn wir stolpern, fällt ihm der Giftbrocken aus dem Mund, und auf die Füße springt der neue Adam. Aber was wären wir ohne den alten Kilb?

KOERBER-KENT Mich stört er nicht. Er unterhält mich. Und er erinnert mich an etwas Dunkles in mir. Außerdem meint er es nicht so. Er kann nur nicht anders. Seit ich einmal unter vier Augen mit ihm sprach, glaube ich an ihn.

v. WULLNOW Er hat kein Ehrgefühl, der Mensch. Mich erinnert er an einen Gaul, den wir zu Hause hatten. Der seichte jedesmal, wenn er vom Stall hinaus aufs Pflaster trat. Es klatschte dort so schön.

Mit baumelndem Schwanz ging er durch die Welt. Und schaut euch seine O-Beine an. Und seinen Mittelscheitel – der gar nicht richtig in der Mitte läuft. Der abgewetzte Hosenschlitz, die spitzen Schuhe, das ist doch keine Lebensart!

KOERBER-KENT v. Wullnow, Sie vertun Ihre Zeit. Er ist nicht zu beleidigen. Daß Sie ihn so ausführlich verachten, das hebt sein Selbstgefühl. Setzen wir uns und fangen wir an. Ich muß heute noch eine Predigt vorbereiten.

LUTZ Wovon wollen Sie predigen?

KOERBER-KENT Davon, daß der Tod uns alle gleich macht. Auch uns hier.

v. WULLNOW *über Kilb:* Das wäre was für ihn. Aber jetzt – soll er alles hören?

LUTZ Wir sagen doch nichts, was nicht auch jeder hören könnte. Oder?
Pause.
Die Unternehmer lachen. Kilb schiebt die Zunge im Mund umher. Hans geht weg. Die Unternehmer lassen sich auf einer Sitzgruppe nieder.

v. WULLNOW Stehen Sie bequem, Kilb. Wir sind schließlich auch Menschen.
Die Unternehmer lachen.

Quitts Frau tritt auf. Sie schaut alle an, dann geht sie schweigend quer durch den Raum und verschwindet.

v. WULLNOW *zu Koerber-Kent:* Beschäftigen Sie als Priester denn auch weibliche Kräfte in Ihren Betrieben?

KOERBER-KENT Wieso?

V. WULLNOW Ich dachte gerade daran, daß Sie nicht verheiratet sind, weder glücklich noch überhaupt.

KOERBER-KENT Ja, wir dürfen nicht heiraten.

V. WULLNOW Ich meinte das anders.

QUITT Ich verstehe deine Anspielungen nicht.

V. WULLNOW Aber du verstehst, daß es Anspielungen sind?

LUTZ *lenkt ab:* Natürlich sind weibliche Arbeitskräfte billiger. Aber man muß vorsichtig sein mit ihnen. Jeden Monat hauen uns einige übers Ohr.

KOERBER-KENT Indem sie Material veruntreuen?

LUTZ Nein, indem sie schwanger werden. Nicht aus Bedürfnis – aus Berechnung schaffen sie sich ein Kind an, kaum daß sie eingestellt sind, und wir müssen ihnen dann das Wochengeld bezahlen.

V. WULLNOW Früher war es anders. Da brauchte man auch nicht immer von früher zu reden. Im Betrieb meines Vaters waren alle eine große Familie. Man arbeitete nicht für meinen Vater, sondern für den Betrieb, und das hieß, auch für sich selber – zumindest hatte man dieses Gefühl, und darauf kam es ja an. Überhaupt ist ja unser System das einzige, in dem es möglich ist, für sich selber zu arbeiten. Wie stark, über alle Klassenunterschiede und das natürliche Empfindungsgefälle hinweg, war mein Zusammengehörigkeitsgefühl mit unseren Arbeitern, wenn sie sich die Handgriffe erleichterten, indem sie ein Lied sangen oder sich vor einer besonders schweren Anstrengung mit originellen Rufen anfeuerten, die man übrigens rechtzeitig

19

sammeln sollte, bevor sie ganz vergessen werden. Heute wird die Arbeit ja nur noch erledigt, stumm und abwesend, die Gedanken sind ganz woanders, nichts Schöpferisches mehr, keine Phantasie. Da lob ich mir unsere Importe aus den südlichen Ländern. Sie leben auf bei der Arbeit, sind glücklich, daß sie in Gesellschaft sind. Arbeit ist für sie noch ein Teil des Lebens. Außerdem: früher waren die Arbeiter stolz auf ihre Produkte: auf den Sonntagsspaziergängen zeigten sie ihren Kindern, was in der Gegend von ihnen persönlich gemacht war. Inzwischen können sich die meisten Kinder unter der Arbeit ihrer Eltern gar nichts mehr vorstellen.

KILB Wollen Sie ihnen denn die Schraube am Auto zeigen, die der Vater persönlich angezogen hat, oder den Margarinewürfel, den die Mutter persönlich verpackt hat?

V. WULLNOW Ich habe meinen Stock nicht bei mir. Mit bloßen Händen will ich dich nicht berühren.

KOERBER-KENT Ich ließ mir vor kurzem die Bibliothek neu tapezieren. Selbstverständlich half ich mit, und da fiel mir auf, wie lustlos der Tapezierer arbeitete, obwohl ich ihn über Tarif bezahlte. Wie kommt es, fragte ich, daß Sie für Ihre Arbeit so gar keine Leidenschaft entwickeln, wo Sie doch sogar noch Geld dafür bekommen? Darauf wußte der gute Mann nichts zu sagen.

V. WULLNOW Typisch.

KILB *zwickt sich inzwischen die Nägel.*

KOERBER-KENT Die denken nur ans Geld. In ihrem Kopf sind nichts als Zahlen und Zoten, wie ich es einmal genannt habe. Statt für einen Abendkurs oder ein Abonnement im Theater geben sie ihren Lohn für Kühltruhen, Kristallspiegel und Kuckucksuhren aus. Seit sie das Allgemeine nicht mehr achten – um in diesem Kreis ein religiöseres Wort zu vermeiden –, sind sie besessen von dem Beelzebub des Besonderen, wie ich manchmal scherzhaft sage. Dabei können sie ja nichts Besonderes sein ohne das Allgemeine. Kaum da, drängt ihr euch in die Drehtür des Diesseits und dringt nicht mehr nach draußen, sage ich immer. Das Papier wickelt den Stein, der Konsum knackt den Charakter.

v. WULLNOW Dazu eine Geschichte. Ich ging durch einen Supermarkt –

QUITT Du in einem Supermarkt?

v. WULLNOW Es war mein eigener. Aber ich wollte eine Geschichte erzählen.

QUITT v. Wullnow, der Supermarktbesitzer, das ist neu.

v. WULLNOW Wir mußten investieren, die Steuer zwang uns dazu. Das brauche ich dir nicht zu erklären. Außerdem ist gerade eine Supermarktkette der geeignete Umschlagplatz für einige unsrer Produkte. So haben wir unsere eigenen Verkaufsstellen und verlieren keine Rabatte an die Einzelhändler. Darf ich jetzt bitte meine Geschichte erzählen?

QUITT »Harald Freiherr v. Wullnow-Supermärkte«.

v. WULLNOW Wir haben sie »Müller-Markt« genannt. Jedenfalls, als ich einen davon inspizierte, machte sich mir eine Frau verdächtig, die lange herumstand, mit leerem Einkaufswagen. Ich beobachtete sie und wunderte mich, denn abgesehen von ihrem verstohlenen Umsichblicken hätte man sie fast als damenhaft bezeichnen können. Auf einmal kam sie auf mich zu und sagte ganz leise: Gibt es denn noch das Riesenpaket Waschpulver aus dem Sonderangebot, das in der letzten Woche inseriert worden ist? Schade, dachte ich im nachhinein. Sie wäre richtig meine Kragenweite gewesen, ihr Parcours lag mir. Aber sich so zu entwürdigen nur wegen eines Konsumartikels, nein. Ich habe mich für die Person geschämt.

KILB *hat sich inzwischen die Hand unter die Achsel gelegt und Furzgeräusche erzeugt.*

LUTZ Ich wende gegen die Verbraucher nur ein, daß sie nicht informiert sind. Warum lesen sie nicht den Wirtschaftsteil der Zeitungen, in denen die Warentests veröffentlicht werden? Warum schließen sich so wenige den Verbraucherorganisationen an? So können sie nicht mehr unterscheiden. Habt ihr einmal die Gesichter der Hausfrauen beobachtet, wenn sie sich im Ausverkauf drängeln? Es sind unvernünftige, entmenschte, panische Fratzen, die einander gar nicht mehr wahrnehmen, gebannt nur auf Gegenstände stieren. Keine Logik, kein Hirn, nichts als das überkochende stinkende Unbewußte. Ein Zooerlebnis, meine Herren. Ich weiß, wovon ich rede.

KILB *stört:* Feuer!

QUITT *übergeht ihn:* Und wovon redest du?

LUTZ Das weißt du doch. Wir haben die Produktion gerade eingestellt. Unser Qualitätsartikel hat sich gegen deine Massenware nicht durchsetzen können. Deine Marke ist eben eingebürgert, unsre war einfach schon in der Verpackung, dreidimensionale Abbildung auf sechseckigem Deckel, zu revolutionär. Die Verbraucher sind konservativ, auf das Progressive sind sie nur kurz neugierig, das war unser Feuer, Pardon: Fehler. *Blick auf Kilb.*

QUITT Als euer Produkt neu auf den Markt kam, habe ich unsern Artikel auch sofort auf die Klau-Liste setzen lassen.

KOERBER-KENT Bitte um Erklärung.

QUITT Die Klau-Liste ist ein ganzseitiges Inserat, das wir einmal wöchentlich in den Massenblättern veröffentlichen lassen. Sie besteht aus den zehn meistgestohlenen Produkten des Konzerns. Diese Liste verschicken wir gleichzeitig als Plakate an den Handel. Dort wird aus den angegebenen Sachen eine Art Altar gebaut und das Plakat DIE MEISTGESTOHLENEN PRODUKTE DIESER WOCHE darübergehängt. Das fördert den Verkauf. Meinen Artikel setzte ich gleich an die erste Stelle und ließ ihn dort, bis Lutz aufgab. Ich muß sagen, er ist mir seitdem ans Herz gewachsen, und ich betrachte ihn in seiner schlichten viereckigen Schachtel mit einer richtigen Anhänglichkeit. Trotzdem werde ich die Produktion einstellen.

LUTZ Wie bitte?

QUITT Sie war schon vorher unrentabel. Ich wollte nur nicht, daß du dich für besser hältst.

v. WULLNOW Prächtig, Quitt. Ganz alte Schule. Aber ich sehe doch, wie wichtig es ist, daß wir uns für die Zukunft schon vorher einigen.

QUITT Warum seid ihr sonst hier?

v. WULLNOW Unternehmer sind Leute, die die Dinge in Gang setzen, wie Schumpeter sagte. Sorgen wir also für den Lauf der Welt.

KILB Es kommt jemand.

v. WULLNOW *überhört ihn:* Das ist ein wichtiger Tag. Es ist das erste Mal, daß wir unsere Vereinzelung aufgeben wollen. Lange genug sind wir einsam gewesen. Einsam haben wir geplant. In trauriger Isolation haben wir den Markt beobachtet. Hilflos hat jeder auf gut Glück für sich allein seinen Preis festgesetzt. Mit der Verachtung für alles, was einem fremd ist, betrachteten wir, jeder von seiner Insel, die Werbebemühungen des andern. Wir erkannten unsere gemeinsamen Bedürfnisse nicht, waren noch stolz auf unser Für-sich-Sein. Das muß sich ändern, so können wir nicht weiterexistieren.

PAULA TAX *kommt schnell herein.*

QUITT Ich habe gerade an Sie gedacht, Paula.

PAULA Und was?

QUITT Nichts Schlimmes.

v. WULLNOW Nehmen Sie Platz. *Zu den andern:* Es war mir immer peinlich, zu einer Frau zu sagen: Setzen Sie sich. *Zu Paula:* Wir haben alle an Sie gedacht. Sogar der Generalvikar, nicht wahr?

KOERBER-KENT *scherzend:* Jetzt weiß ich erst, warum ich mich die ganze Zeit fühlte, als sei irgendwo eine

Tür nicht geschlossen.

KILB Ihr Siegelring ist angelaufen, Monsignore.

KOERBER-KENT Weiter, mein Lieber.

Kilb schweigt.

Er ist immer nur zu einem Satz fähig. Die Gewohnheit schnellen Zwischenrufens hat ihn verdorben.

Paula hat sich niedergelassen. Sie ist noch im Reitdreß. Quitts Frau kommt wieder herein. Sie tut, als ob sie etwas sucht. Paula löst das Kopftuch und schüttelt die Haare. Quitts Frau stampft auf. Als sie weitergeht, hat sich ihr Stöckelschuh in einem Spalt verfangen. Sie hüpft zurück, schlüpft wieder hinein und will gemessen hinausgehen. Kilb bellt ihr nach, und sie verschwindet mit einem Aufschrei.

QUITT Vielleicht kommt der Ekel gerade daher, daß man eine Minute vorher über dieselbe Sache etwas ganz anderes hätte denken können, und daß die Geschichte ganz anders verlaufen wäre.

PAULA Sie sehen mich so an, als ob ich Sie jetzt fragen sollte, was das bedeutet.

QUITT Erinnern Sie mich später daran, daß ich Ihnen noch etwas erklären muß.

PAULA Wann?

QUITT Später.

LUTZ Ich will ja nicht drängen. Es geht heute um viel. In der letzten Nacht konnte ich erst mit autogenem Training schlafen. Ich stellte mir dazu wie immer das Meer vor, aber sogar das glänzte noch lange wie der frischpassierte Spinat aus meiner neuen

Tiefkühlpackung, und der Mond darüber war mit Filzschreiber durchgestrichen, ein kleinerer danebengesetzt.

v. WULLNOW Also zur Sache. Ich setze voraus, daß, wenn nicht unser Gespräch, so doch das, was wir damit meinen, unter uns bleibt. Ich jedenfalls gebe mein Ehrenwort. *Er schaut um sich.* Der Generalvikar schwört, nicht wahr? Lutz verspricht. Oder? Und Quitt? Nickt. Frau Tax ist noch in Gedanken bei einem Schenkeldruck. Und unser Ehrengast? *Er weist mit dem Kopf auf Kilb.*

QUITT Hans!

HANS *erscheint sofort und tastet Kilb ab; schüttelt den Kopf – kein Mikrophon – und verzieht sich wieder. Kilb setzt sich darauf mit dem Hocker zu den andern, in der Haltung eines Kiebitz.*

v. WULLNOW Wir sind keine Wölfe. Aber daß die freie Konkurrenz ein Wolfsgesetz ist, das haben wir inzwischen erfahren. Im allgemeinen Bewußtsein sind wir die zigarrepaffenden Monster auf den Rücksitzen. Und in den oft so poetisch zitierten Momenten der allzu langen Überlandfahrt sehen wir uns auch selber so: daß wir das geworden sind, was wir einmal um keinen Preis sein wollten. Schütteln Sie nicht den Kopf, Generalvikar, Sie wissen doch, wie ich es meine. Ja, wir sind nicht nur die Bösen in einem Spiel, sondern wirklich böse. Auch von der Feinschmeckerei, obwohl ich zum Beispiel lange Zeit auf das Gegenteil hoffte, ist mein Gesicht nach und nach nur noch entseelter

geworden. Sieh dir doch einmal deine arbeitsessen-
den Kollegen in den Drei-Sterne-Lokalen an, Lutz:
in ihren Visagen ist es für immer ausverkauft. Eine
lebenslange Menagerie, nicht nur zweimal im Jahr
wie bei den Hausfrauen. Und trotzdem ist es vor-
eilig-undialektischer Impressionismus, wie Frau
Tax sicher sagen würde, uns zu bepöbeln. Wir sind
schließlich nicht aus Lust die Ungeheuer. Mein
Urerlebnis war der Gedanke: es kann doch keinen
freiwillig unmenschlichen Menschen geben. Damit
richte ich mich auch selber immer wieder auf, wenn
ich was tun mußte, vor dem es meiner Natur
eigentlich gegraust hat.

QUITT Über den Preiskampf ist also der Markt nicht
mehr zu vergrößern, willst du damit sagen.

LUTZ *Blick auf Kilb:* Pst! Nicht so.

QUITT Konkurrenz ist Theater. Kämpfen ist kindisch.
Zusammen unterbieten wir die Kleineren, bis sie
sich sehnen, vom Couponschneiden zu leben. Statt
Gewalt das sanfte Gesetz der verdrängenden Mas-
se. Als Kind setzte ich mich manchmal nur still auf
etwas, das ein andrer haben wollte, und pfiff zerstreut ein Lied.

KOERBER-KENT Sie sind neuerdings pietätlos, Quitt.

QUITT Es geht um folgendes: Erstens: Es gibt zu viele
Produkte, der Markt ist undurchsichtig geworden.
Wer produziert zu viel? Einer von uns? Lächerlich.
Wer also? Natürlich, sie. Wir werden den Markt
wieder überschaubar machen. Zweitens: Es gibt
nicht mehr zu viele Produkte, dafür aber zu viele
Einheiten weniger Produkte. Die Kühlhäuser ber-

sten vor Butter, las ich heute zum Frühstück. Ist unser Angebot zu groß? Nein, die Nachfrage ist zu klein, und das ist die Spitzfindigkeit, von der wir leben. Drittens: Ist die Nachfrage zu klein, weil die Preise zu hoch sind? Sicher. Und die Preise sind zu hoch, weil die Löhne überhöht sind, nicht wahr? Wir werden also niedrigere Löhne zahlen müssen. Und wie? Indem wir woanders billiger arbeiten lassen. Zum Beispiel: »Mauritius bildet einen guten Arbeitsmarkt. Von den Plantagen her ist die Bevölkerung seit Generationen hartes Arbeiten gewöhnt. Die geschickten asiatischen Finger haben sich vor allem im Handwerk bewährt.« Wir werden unsere Waren daher als preiswert bezeichnen können. Das zieht am meisten. Außerdem: stellt euch vor, daß auf allen Sachen »Made in Mauritius« stehen wird. Ich erinnere mich, wie sehnsüchtig mich als Kind immer solche Etiketten machten. Warum auch nicht unsre lieben Verbraucher? Jedenfalls wird die Nachfrage steigen, und wir werden unsre Preise wieder angleichen. Viertens: Wir gehen manchmal für uns durch den Wald, um uns zwischendurch in der Natur als Menschen fühlen zu dürfen. Fünftens *zu v. Wullnow:* Ich spüre die ganze Zeit schon den unwiderstehlichen Zwang, dir die feuchten Lippen abzuwischen. *Er wischt ihm dabei mit dem Taschentuch den Mund ab.* Sechstens *zu Kilb:* Wiederholen Sie, was ich gesagt habe.
Pause.
KILB *bewegt die Lippen, stockt, versucht es wieder, schüttelt den Kopf. Er hüpft auf dem Hocker zu*

Quitt. Jedenfalls war es logisch. So logisch wie das hier. *Er zieht sich an beiden Ohren, »so daß« die Zunge aus dem Mund kommt, zupft sich unterm Kinn, »so daß« die Zunge zurückschnellt. Die Unternehmer haben einander inzwischen stumm angeschaut.*

LUTZ Wir feiern also schon?

QUITT Ich bin noch nicht fertig.

KOERBER-KENT Was spielten Sie da gerade? Es war doch nur gespielt, oder? Denn in Wirklichkeit sind Sie sich Ihrer Position bewußt wie wir alle.

QUITT Ja, aber nur in Wirklichkeit. *Zu v. Wullnow:* Und du bist sprachlos?

v. WULLNOW Ich gewöhne mich schon wieder an dich. Vielleicht gehörst du nur zu den Leuten, die gern fremde Pickel ausdrücken.

QUITT *schlägt sich theatralisch an die Stirn:* Ja, es ist etwas mit mir durchgegangen. Aber jetzt bin ich wieder der alte.

v. WULLNOW Es ging auch so schnell, daß ich es schon vergessen habe. Eine Fledermaus hat mich gestreift. Außerdem bist du noch nicht fertig.

QUITT Wichtig ist also, daß wir ab jetzt nichts ohne den andern tun. Wenn ich Rohstoff einkaufe, ohne euch von der Quelle zu unterrichten, ist das Verrat. Wenn Lutz ein neues Produkt auf den Markt bringt, um mir damit einen Marktanteil wegzunehmen, ist das Verrat. Wenn der Generalvikar seinen Arbeiterinnen, nur weil sie fromme Bauernmädchen sind, noch weniger zahlt als wir, um damit die Preise zu drücken, ist das Verrat. Wenn Sie, Paula,

29

Ihre Arbeiter an den Gewinnen beteiligen und des-
· halb allein die Preise erhöhen, ist das Verrat. *Zu v.*
Wullnow: So ist es doch recht, nicht wahr?

v. WULLNOW Frau Tax würde wahrscheinlich gegen-
fragen: Wenn ich sie aber beteilige, weil ich es
vernünftig finde – zum Beispiel; um die Produktion
zu steigern?

QUITT *als hätte Paula selber geantwortet, zu ihr:*
Solang Sie nicht die Preise ohne uns erhöhen, ist es
kein Verrat. Und solange Sie und ich gemeinsame
Lebensgewohnheiten haben, können Sie mich gar
nicht verraten. Und jetzt den Sekt, Hans.

*Hinter der Szene knallt ein Pfropfen, Hans tritt
sofort auf. Er trägt ein Tablett mit Sektgläsern und
einer noch rauchenden Flasche. Die Eingießzere-
monie. Quitt weist auf die Qualität von Sekt und
Gläsern hin. Die Gesellschaft erhebt sich, stößt an,
trinkt schweigend, Auge in Auge. Kilb ist sitzenge-
blieben. Während die andern trinken, lacht er zunächst ein paarmal kurz auf, ohne daß ihn aber
jemand beachtet. Er zieht sein Messer hervor, wendet
es hin und her und läßt es mit der Spitze voran zu
Boden fallen. Man schaut ihm interesselos zu. Er
steckt das Messer weg und spielt ein bißchen auf
einer Maultrommel. Hans ist schon mit dem
Tablett hinausgegangen. Kilb steht jetzt auf und
spuckt einem nach dem andern vor die Füße. Vor
der Dame zieht er mit der Hand die Kinnlade
heraus, reckt dazu den Hintern. Man betrachtet ihn
weiter wohlwollend. Jetzt hebt er nacheinander*

Lutz und den Priester, die es sich gefallen lassen,
auf und stellt sie woanders wieder ab. Er geht kreuz
und quer über die Bühne. Im Vorbeigehen tritt er
einigen leicht in die Kniekehlen, so daß sie einknik-
ken — der letzte nicht mehr; Paula hängt er wie
Harpo Marx den Schenkel hin, den sie ungerührt
festhält und dann wieder fallenläßt; Quitt spart er
aus, wirft ihm nur Seitenblicke zu. Er hat auch zu
reden angefangen.

KILB Und ich? Sorge ich für den unterhaltsamen Teil?
Bin ich das Vieh, das alles hören darf? Oder der
Pudel, vor dem ihr euch nackt miteinander ins Bett
legt? Ich kann euch mit den Zähnen durch eure
Vorgärten ziehen. Eure schönen ganzen Sätze
schmiere ich mit Eiter zu. Eure intimgepflegten
Weichteile stopfe ich in Frischhaltepackungen.
Abgeschlachteten Hühnern brennt man mit einer
Kerze den Flaum von der Haut; »Hühnerhaut«
sagt man in der Schweiz statt »Gänsehaut«. Stimmung! Stimmung! »Gedankenauslöscher« sagt man
in Italien für »Maultrommel«. Ich spreche immer so
ruhig, liebe Dame. Hier, Sie haben Ihr Kosettpapier
verloren. *Er hat einen Streifen hervorgezogen und ihr*
den über den Arm gelegt; unbeeindruckt lächelt
sie. Wenn Sie einmal brennen, werde ich es sein,
der Sie in Decken wickelt, bis Sie erstickt sind.
Dämonisch, nicht wahr? Ich lache sogar dämonisch im Schlaf, sagte meine Verflossene. *Er geht*
kurz bucklig, zieht ein Bein nach und klatscht in
die Hände. Stimmung, Stimmung! *Er kneift einen*
in die Nase, kitzelt den andern, bis der doch wie

31

gnädig von einem Fuß auf den andern tritt. Laßt euch hervorzaubern aus euren persönlichen Dornenhecken, Verwunschene der Geschäftswelt, ein freier Mensch steht vor euch, ein Vorbild, eine Bilderbuchfigur. *Er klatscht wie ein Schuhplattler in die Hände, auf die Schenkel und Schuhsohlen.* Ein bißchen Schwung! Aktion! Der Atem der Manege! Den Augen ihr Recht! Den Ohren Abwechslung! Nicht immer nur Worte, gegen die sich das Hirn doch nicht wehren kann! Schont euer Sprachzentrum, Leute! *Er nimmt ein Sektglas und läßt es fallen.* Und steht nicht so steif herum! Überhaupt: zu viel Statuarik. Kein Leben! Bewegt euch! Das lockert.

Er tanzt Paula ein paar Schritte weiter, bleibt vor ihr stehen. Er fängt an, Paula die Bluse aufzuknöpfen, schaut dabei um sich, knöpft schließlich langsamer. Niemand hält ihn auf. Seitenblicke auf Quitt. Quitt betrachtet ihn aufmerksam und gleichzeitig abwesend, fast mit Ungeduld. Unschlüssig zupft Kilb die Bluse aus der Reithose. Paula lächelt nur. Er tritt wie aufgebend zurück, vollführt dabei noch einmal eine klägliche Klatschbewegung, ohne wirklich in die Hände zu klatschen. Jetzt springt Quitt vor, ergreift Kilbs Hand und will damit Paula die Bluse wegreißen. Kilb sträubt sich. Quitt läßt ihn los und reißt Paula eigenhändig die Bluse weg. Sie kreuzt, nicht allzu eilig, die Arme über der Brust. Quitt drückt Kilb ein weiteres Sektglas in die Hand, nimmt gleichzeitig die übrigen in die Faust und zertrümmert sie nacheinander auf

dem Boden. Er wiederholt dabei Kilbs Worte:
Stimmung, Stimmung . . ., stößt ihn in die Seite, bis
er sein Glas unschlüssig auch fallen läßt. Quitt geht
von einem zum andern und spuckt jedem ins
Gesicht; hebt einen Glassplitter auf und geht damit
auf Kilb los; wirft den Splitter weg und nimmt Kilb
in den Schwitzkasten; führt ihn so auf und ab und
stößt ihn gegen die andern.

KILB *im Schwitzkasten, während er sich befreien will:*
Sie haben mich falsch verstanden, Quitt. Was Sie
tun, hat keine Methode. Es ist unästhetisch, vulgär,
formlos. Vor allem ist es unmusikalisch, hat weder
Melodie noch Rhythmus. So war das nicht abge-
macht. Verstehen Sie keinen Spaß? Können Sie
nicht mehr unterscheiden zwischen Ritual und
Wirklichkeit? Erkennen Sie Ihre Grenzen, Quitt.

QUITT *während er ihn auf einen Stuhl drückt und ihn*
auf dem Stuhl von der Bühne schleift: Bis jetzt hast
du ja davon gelebt, daß ich Grenzen habe, du
Pascher. Jetzt zeig sie mir, meine Grenzen, du Vorbild zum freien Leben.

In der Bühnentiefe kippt er Kilb außer Sicht und
kommt zurück. Paula geht gemessen ab. Hans tritt
auf mit Kehrichtschaufel und Handfeger. Die
andern reinigen sich. Alle fangen zu lächeln an.
Quitt lächelt nicht. Hans fegt die Scherben zusam-
men. Paula kehrt angezogen zurück und lächelt
auch, mit geschlossenen Lippen.

V. WULLNOW Ich glaube, der hats nun gelernt.

KOERBER-KENT Mit Lernen ist bei ihm nichts. Er hat

kein Gedächtnis. Das Stehaufmännchen benützt den Boden nur, um sich davon abzustoßen. Weil er nichts behält, vergißt er auch nichts. Die Pferdebremse läßt sich dort nieder, wo man sie gerade weggescheucht hat. Er denkt nicht vor und zurück wie wir geschichtlichen Wesen – so würde Frau Tax vielleicht sagen – er wittert nur. Ich würde ihn ein Geschöpf nennen, ein willenlos zappelndes. Die Sperlinge auf den Feldern, indem sie nicht leben, sondern gelebt werden, sind das göttliche Prinzip. Animalisch sehe ich ihn gerade auf seinem Fahrrad durch die Alleen brausen.

QUITT Schauen Sie doch nicht immer mich an beim Reden. Ich kann Ihnen so nicht zuhören.

v. WULLNOW Nur schade, daß es keine Alleen mehr gibt. Wie süß dämmert zum Beispiel die Erinnerung an das Herrschaftshaus im Fluchtpunkt der zwei Baumreihen, dunkel spiegelnd noch alle Fenster, nur die Luken des Gesindetrakts unter dem Dachgeschoß schon beleuchtet, ein Igel raschelnd im Laub zu unseren Füßen, jene stehende Luft zu der Tageszeit, da die Kranken in sich gehen und willentlich sterben, und eine Kastanie platzt plötzlich auf dem Gewehr, mit dem auf der Schulter wir uns noch einmal nach unserem Elternhaus umgeschaut haben, bevor wir uns querfeldein ins Jagdrevier pirschen. Ja, ein zartes Wesen, unser Kleinaktionär, mit der Zartheit des Diebs in bezug auf das Öffnen der Schublade, mit der Zartheit des Mörders im Umgang mit seiner Messerklinge.

LUTZ Sie sprechen so gehoben, v. Wullnow, daß ich

mich scheue, jetzt meinen Witz zu erzählen.

V. WULLNOW Ich befehle es Ihnen. Sie schauen ja schon die ganze Zeit, als hätten Sie etwas auf dem Herzen.

LUTZ Zwei lieben einander. Sie lieben einander so eilig, wie man manchmal ein Honigbrot essen muß. Als sie fertig sind – *Blick auf Paula:* Oh Pardon.

V. WULLNOW Frau Tax hört ohnedies weg. Und außerdem steht sie darüber. Sie würde das Zotenerzählen wahrscheinlich als Beweis für unsre verdinglichte Sexualität bezeichnen, nicht wahr? Also weiter.

LUTZ – steht der Mann sofort auf. Oh, sagt die Frau, kaum bist du fertig, läßt du mich allein. Das soll Liebe sein? Ich habe ohnedies bis zehn gezählt, sagt darauf der Mann.
Es wird kurz gelacht oder auch nicht. v. Wullnow ist mit Lutz und Koerber-Kent schon am Hinausgehen – nur Hans, der immer noch die Scherben kehrt, kichert am Boden kniend lange. Die Herren drehen sich nach ihm um, und er erhebt sich und geht ihnen kichernd voran.

V. WULLNOW Quitt, wir vertrauen dir, so wie du uns vertraust. Vergiß deine spätzeitliche Sensibilität. Sensibel ist für mich ein Wort auf Verhütungsgummis.
Die drei Unternehmer ab.

QUITT *zu Paula:* Sie gehen nicht?

PAULA Ich sollte Sie daran erinnern, daß Sie mir noch etwas erklären wollten.

QUITT Ich hatte nur den Wunsch, Sie würden bleiben. Jetzt können Sie gehen.

Pause.

Paula setzt sich wieder,

Pause.

Es fiel mir auf, wie eklig zufällig ich von Ihnen dachte. Eine Minute vorher hätte ich mir zu Ihnen nur Ihren Namen vorgestellt. Plötzlich war etwas Auffälliges an Ihnen. Ich wollte aufstehen und Ihnen zwischen die Beine greifen.

PAULA Sprechen Sie von mir oder von einem Ding?

QUITT *lacht kurz. Pause:* Fast hätte ich jetzt gesagt: von dir, du Ding. Aus mir will heute immerfort etwas herausrutschen, vor dem ich Angst habe und das mich doch diebisch reizt. Sie kennen die Geschichten vom Lachen bei der Beerdigung. Einmal saß ich einer fremden Frau gegenüber, wir blickten uns so lang in die Augen, bis mir heiß wurde. Plötzlich streckte sie mir die Zunge heraus, nicht neckisch so ein bißchen zwischen den Lippen hervor, sondern ganz weit, fast bis zur Wurzel, mit dem ganzen Gesicht, eine grausliche Fratze – als ob sie sich selber mit herausstrecken wollte. Seitdem möchte ich auch so etwas können. Meistens gelingt es mir freilich nur im Kopf, einen winzigen Ruck lang. Es fängt damit an, daß ich jemand Wildfremdem im Vorbeigehen die Schuhbänder aufziehen oder ihm ein Haar aus der Nase zupfen möchte, und hört auf mit der Lust, in Gesellschaft meinen Hosenschlitz aufzumachen.

PAULA Wollen wir nicht lieber noch über unsere

36

Absprache reden?

QUITT Aber gerade fühle ich mich beim Reden endlich wohl. Ich rede jetzt. Vorher bewegten sich nur
die Lippen, ich mußte zum Artikulieren die Muskeln anstrengen. Das Kinn tat mir weh, die Wangen wurden taub. Jetzt weiß ich, was ich sage.

PAULA Sind Sie katholisch?

QUITT Sie hören mir ja zu.

PAULA Sie sprechen nämlich von sich wie der Stell-
vertreter des Allgemeinen. Was Sie persönlich erleben, wollen Sie für uns alle erleben. Ihr privat
geschwitztes Blut bringen Sie uns Verstockten zum
Opfer. Ihr Ich will mehr als es selbst sein, Ihre
Gefühligkeit appelliert an meine Gefühllosigkeit,
Ihre Bekennerfreude will mir nur zeigen, daß ich
noch ungeweckt bin. Sie gebärden sich, als sei endlich Ihre Zeit gekommen. Dabei ist Ihre Zeit als
Quitt, welcher bürgerlich vorbildhaft das Leben
erleidet, längst vorbei. Sie haben ausgelitten, Partner. Daß Sie auf sich so bestehen, das macht Sie
verdächtig. Sie haben kein Geschichtsbewußtsein,
sind mir zu abendländisch.

QUITT Aber ich möchte, daß es sich, wenn auch ein
letztes Mal, um mich handelt, und nur um mich.
Ich käme mir sonst endgültig abgeschrieben vor,
maschinell, würde kein für jemand andern
bestimmtes Wort mehr herausbringen. Als ich einmal aus dem Haus trat, riefen Kinder mir zu: Ich
weiß, wer du bist! Ich weiß, wer du bist!, und das
meinten sie hämisch, als sei es etwas Schlimmes,
daß ich zu identifizieren war. Übrigens kam es mir

gerade ungehörig vor, nach Ihrer Abstraktbehandlung meiner Person so etwas wie eine Geschichte zu erzählen.

Pause.

PAULA Setzen Sie sich.

QUITT *tut es.*

Pause.

Sie schauen einander an.

PAULA *schaut weg:* Ja, mein Aufzug stört mich jetzt auch. Und es fällt mir nichts ein, was ich Ihnen sagen könnte. Aber ich möchte Ihnen etwas sagen.

Pause.

Es ist schön, in der Dämmerung zu sitzen. Ich habe gerade gar nichts gedacht. Auch das war schön.

Pause.

Trinken Sie gerne Kondensmilch? Ich habe plötzlich Lust auf Kondensmilch bekommen.

Pause.

Sie redet, als ob sie von etwas anderem nicht reden will: Meine Arbeiter dürften mich so nicht sehen. Ich kaufe nämlich sonst meine Sachen von der Stange, fühle mich sogar wohler darin. Übrigens ist mir vorhin eingefallen, daß wir ab jetzt auch die Werbung gemeinsam planen müssen. Ich möchte dabei davon ausgehen, daß wir keine künstlichen Bedürfnisse erzeugen, sondern die natürlichen, die nur nicht bewußt sind, wecken wollen. Die meisten wissen ja noch gar nicht, was sie brauchen. Insofern ist Reklame, wenn sie nur das Produkt beschreibt, nur ein anderes Wort für Bewußtmachung. Abzulehnen ist Werbung, die dem Produkt nicht entspricht, indem sie bei den Verbrauchern falsche Vorstellungen von der Natur des Produkts erzeugt. Nur das wäre die Verschleierung oder Vortäuschung von nicht Vorhandenem, die man uns ja immer wieder vorwirft. Unsere Produkte aber gibt es, und indem es sie gibt, sind sie schon vernünftig – sonst hätten wir als Vernunftswesen sie ja nicht aus vernünftigen Rohstoffen in vernünftigen Arbeitsgängen durch vernünftige Menschen erzeugen lassen. Und wenn die Werbung nicht lügt, sondern nur einen genauen Begriff von unsern vernünftigen Produkten gibt, dann wird sie selber genauso vernünftig sein. Sehen Sie die sozialistischen Staaten: Es gibt dort kein unvernünftiges Produkt – trotzdem wird geworben, weil gerade Vernünftiges Werbung nötig hat. Erst durch sie wird das Vernünftige auch vermittelt. Für mich ist Werbung die einzige materialistische Poesie. Als anthropomorphes System befreundet sie uns wieder mit den uns durch die Ideologien entfremdeten Dingen. Sie beseelt die Warenwelt und vermenschlicht sie, so daß wir uns in ihr zu Hause fühlen können. Ich muß Ihnen sagen, wie ergriffen ich bin, wenn ich an einer alten Brandmauer in Riesenlettern einfach »Ihre Schuhe wollen Erdal« lese oder ein Waschpaketbild mit einer Sonne dahinter sehe. Meine Gefühle werden monumental dadurch. Heute, zwanzig Jahre später, bezeichnen sie die gleiche Schuhcreme kitschig als »himalajabewährt«, und meine Gefühle fallen wieder zusammen. In verzweifelten Stimmungen schaue ich mir in Illustrierten Reklame an, sie

macht meine Verzweiflung so lächerlich. Also ist sie auch Lebenshilfe, aber eine gegenständliche, vernünftige, im Unterschied zur bürgerlichen Geheimsprachenpoesie. Und bedenken Sie, um wieviel menschenwürdiger und fortschrittlicher die Reklametexter arbeiten können als die Poeten! Während die Dichter vereinzelt das Unbestimmte beschwören, beschreiben sie arbeitsteilig im Team das Bestimmte. Nur sie sind die Kreativen – sie denken etwas, was sie vorher noch gar nicht wußten. Übrigens fiel uns so vor kurzem erst auf, was am Slogan für eins unserer Produkte nicht stimmte. Es kam darin vor »Ein schwacher Eßlöffel«, und die Ware verkaufte sich nicht. Endlich fiel einem von unserm Team ein, das Wort »schwach« durch das Wort »stark« zu ersetzen. Statt »schwacher Eßlöffel« formulierten wir nun »starker Teelöffel«, und auf einmal stieg der Absatz fast um das Doppelte.
Hans kommt im letzten Satz herein und schaltet das Licht an.

QUITT *zu Hans:* Wir brauchen kein Licht.
HANS *schaltet das Licht wieder aus und geht.*

PAULA Ich höre meine Armbanduhr ticken.
QUITT Dabei müßten Sie sich doch eine geräuschlose Uhr leisten können. Aber wahrscheinlich handelt es sich nicht um eine Uhr, sondern um ein Erinnerungsstück. Also erinnern Sie sich, bitte.
Pause.

40

Oder erinnern Sie sich bitte nicht.

PAULA Wenn Sie einem Kind, das vor sich hinsingt, sagen: Sehr schön, sing weiter!, wird es aufhören zu singen. Wenn Sie ihm aber sagen: Hör auf!, wird es weitersingen.

QUITT Es gibt Frauen, die –

PAULA Hören Sie auf, das kann nichts werden.

QUITT Es gibt Frauen, die kann man nicht berühren, weil man sonst ein Erinnerungsstück an ihnen entweihen müßte. Ein Halskettchen hat dann eine Geschichte, die jedes Streicheln des Halses zur bloßen Nachgeschichte macht. Alles an der Frau ist schon so fertig, daß das, was man für sich persönlich mit ihr erlebt, sie immer nur an etwas erinnert. Man kann ihr nichts mehr erzählen, sie unterbricht einen sofort mit einem selbstversunkenen Nicken. Sie ist außen und innen unberührbar vor lauter Erinnerung. Zur geheimnisvollsten, zart stotternden Regung hat man sofort einen Doppelgänger, welcher der Frau die Regung längst schon fließend klargemacht hat. Man versteht den Lustmörder: nur das Bauchaufschlitzen verschafft ihm die dem einzelnen gebührende Aufmerksamkeit. Man darf den Nutten nicht über die Haare streicheln, damit der Haarspray nicht zerstört wird.

PAULA Sie sagen, wie es ist. Aber warum ist es so? Wer ist dafür verantwortlich? Und wer sorgt dafür, daß es so bleibt? Und wem nützt es? Statt die Ursachen zu nennen, machen Sie sich lustig über die Sachen. Und gerade das ist eine der Ursachen. Die bloßen Erscheinungen zu beschreiben ist ein Männerwitz. v. Wullnow würde sagen, daß ich sagen würde: Undialektischer Impressionismus.

QUITT Und Sie: vor lauter Ursachen kümmern Sie sich nicht mehr um die Erscheinungen. Statt der Sachen sehen Sie von vornherein nur Ursachen. Und wenn Sie die Ursachen beseitigen, um die Erscheinungen zu ändern, haben sich diese schon längst verändert, so daß Sie ganz andre Ursachen beseitigen müßten. Und wenn Sie mich jetzt ansehen, nehmen Sie bitte einmal mich wahr, und nicht meine Ursachen.

PAULA Sie haben eine schöne Krawattennadel. Ihr Hemd ist so neu, daß man noch die Einstichlöcher von den Stecknadeln sieht. Ihre mahlenden Kinnbacken verraten Willenskraft. Ihre feingliedrigen Hände könnten einem Pianisten gehören. An Ihrem Ohrläppchen ist getrockneter Rasierschaum. Und während Sie sich kreatürlich gebärden, widersprechen Ihnen Ihre Hosenstulpen.

Quitt steht auf und zerrt Paula zu sich empor. Sie schlingt übertrieben die Arme um ihn und legt ebenso ein Bein um seine Hüfte; wirft den Kopf zurück und seufzt spöttisch. Er läßt sie sofort los und geht weg. Sie verfolgt ihn theatralisch. Er bleibt stehen und geht auf sie zu. Sie geht rückwärts. Einer verfolgt den andern. Dann gehen sie für sich umher, stehen schließlich.

QUITT Hören Sie bitte jetzt auf, begrifflich zu sein. Ich schenkte einmal jemandem eine Schokolade für sein Kind. Die Schokolade bestand aus kleinen Teilen, auf jedem Teil ein einzelnes Bild mit verschiedenen Märchenmotiven. Oh, sagte der Vater enttäuscht, kein Puzzle! Und dann sagte er: Die Verarmung der Phantasie durch die Schokoladenhersteller ... Als er das sagte, stand ich plötzlich ganz weit neben ihm und habe mich radikal einsam gefühlt. Ich schaute zu Boden vor Einsamkeit. Also hören Sie bitte auf.

PAULA Aber Sie haben doch angefangen.

QUITT Sehen Sie den Nagel, der da aus der Wand ragt?

PAULA Ja.

QUITT Der ist lang, oder?

PAULA Sehr lang.

QUITT Und wie dick ist Ihr Kopf?

Pause.

PAULA Vielleicht sollte ich doch Licht machen.

Pause.

QUITT Heute läutete es an der Tür. Vor Neugier, wer es war, ging ich selber aufmachen. Es war wieder nur der Eiermann, den das sogenannte Hofgut einmal in der Woche von Haus zu Haus schickt. Er kommt immer um die gleiche Zeit, ich hatte es vergessen. Können Sie denn nicht einmal jemand andrer sein? wollte ich schreien.

Pause.

PAULA Und wenn ich jemand andrer wäre?

Quitt tritt einen Schritt auf sie zu. Sie tritt nicht zurück.

QUITT Und kürzlich sah ich einen Stummfilm. Man hatte keine Musik unterlegt, so war es meistens ganz still im Kino. Nur ab und zu, wenn es komisch wurde, lachten irgendwo ein paar Kinder und hörten gleich wieder auf. Auf einmal hatte ich ein Todesgefühl. Das Gefühl war so stark, daß ich die Beine weit auseinanderstellte und die Finger spreizte. Mit welchen sozialen Bedingungen können Sie mir das erklären? Ist dieses Syndrom schon nach jemandem benannt? Wenn ja, nach wem?

PAULA Ich kann es Ihnen mit keinen sozialen Bedingungen erklären. Es gehört bedingungslos Ihnen und ist nicht nachzuvollziehen. Als etwas Asoziales ist es der Rede nicht wert. Die Massen haben andre Sorgen.

QUITT Die aber vorübergehen werden?

PAULA Ja, weil auch die Bedingungen vorübergehen werden.

QUITT Und dann werden die Massen vielleicht meine Sorgen haben, die nicht vorübergehen.

Quitts Frau tritt auf, mit einer Illustrierten in der Hand.

FRAU Österreichischer Dramatiker, gestorben, sieben Buchstaben?

QUITT Nestroy.

FRAU Nein.

QUITT Waagrecht oder senkrecht?

FRAU Waagrecht.

QUITT Raimund.

FRAU Ach ja.

Ab.

44

Pause.

PAULA Die Uhr – sie ist kein Erinnerungsstück.

Pause.

Ist das immer noch zu begrifflich?

QUITT Ich werde Ihnen jetzt nicht sagen, was ich denke.

PAULA Und was denken Sie?

QUITT Es ist freundlich, daß Sie mich fragen. Aber warum fragen Sie nichts von sich aus? Ich sehne mich danach, von Ihnen gefragt zu werden. Muß ich erst mit dem Kopf auf den Boden schlagen, damit Sie sich nach mir erkundigen? *Er wirft sich nieder und schlägt wirklich ein paarmal den Kopf auf den Boden, steht dann sofort auf und tritt auf Paula zu.* Ich möchte jetzt nach der Welt schnappen und sie aufschlucken, so unerreichbar kommt alles mir vor. Und auch ich bin unerreichbar, krümme mich von allem weg. Jede Geschichte, die ich erleben könnte, verwandelt sich nach und nach zurück in leblose Natur, in der ich keine Rolle mehr spiele. Ich kann davor stehen, wie gerade vor Ihnen, und es ist wieder menschenleere Vorzeit. Ich stelle mir den Ozean vor, die feuerspeienden Vulkane, die Urgebirge am Horizont, aber die Vorstellung gilt nicht mir, ich zittere nicht einmal darin auf als Vorahnung. Wenn ich Sie jetzt anschaue, sehe ich Sie nur, wie Sie sind, und ganz ohne mich sind, aber nie, wie Sie waren oder mit mir sein könnten. Das ist unmenschlich.

PAULA Verzeihen Sie, aber ich kann mich nicht mehr konzentrieren. *Sie tut einen Schritt, so daß sie ein-*

ander Körper an Körper berühren. Was dachtest du also?

Pause.

QUITT Du weißt es ohnehin.

PAULA Vielleicht. Aber ich möchte es von dir hören.

QUITT Jetzt fühle ich mich stark genug, es dir nicht mehr zu sagen.

PAULA *tritt zurück:* Wir sind allein.

QUITT Ich bin allein, und du bist allein, nicht wir. Ich möchte nicht das »wir« aus unseren gemeinsamen Geschäften auf dich und mich im Moment übertragen wissen.

PAULA Gehört nicht auch dieser Moment zum Geschäft?

Quitt schleudert sie zu Boden.

Sie bleibt liegen, stützt sich mit dem Ellbogen auf. Dann erhebt sie sich.

QUITT Wie anmutig du aufstehst!

PAULA Ich möchte gehen.

QUITT Hans!

HANS *erscheint mit einem langen Pelzmantel über dem Arm und bewegt sich zuerst in die falsche Richtung.*

QUITT Hier sind wir. Wo bist du mit deinen Gedanken?

HANS *hilft Paula in den Mantel:* Immer bei Ihnen, Herr Quitt. Ich kam nur draußen vom Licht herein.

PAULA Hans, du hilfst gut in Mäntel.

HANS Frau Quitt hat den gleichen.

PAULA *zu Quitt:* Ich möchte dir etwas von mir erzählen, Quitt, nur so, ungefragt. Und merk dir, daß ich

46

zum ersten Mal von mir erzähle. Nachdem deine Frau hinausgegangen war, atmete ich langsam aus. Und mit dem Ausatmen . . . bitte nicht lachen.

QUITT Ich lache nicht.

PAULA Mit dem Ausatmen . . . bitte nicht lachen.

QUITT Gleich muß ich lachen.

PAULA *laut:* Mit dem Ausatmen stellte sich die Liebe ein. Ich liebe dich, Quitt.
Sie geht.

QUITT *zu Hans:* Nichts sagen.

HANS Ich sage ja nichts.

Quitts Frau kommt herein, schaltet ein mildes, indirektes Licht an und setzt sich. Sie gibt Hans Zeichen zu gehen.

QUITT Es ist noch nicht gewischt worden.

HANS *fängt an, Sachen abzuwischen.*

QUITT *zu seiner Frau:* Und was hast du heute den ganzen Tag gemacht?

FRAU Du hast es ja gesehen: ich ging aus und ein und hin und her.

QUITT Und wie war es in der Stadt?

FRAU Man respektierte mich als deine Frau.
Hans geht hinaus.

QUITT Gab es was Neues?

FRAU Ich habe diese Bluse hier gestohlen.

QUITT Hauptsache, du läßt dich nicht erwischen. Und sonst?

FRAU Ich blieb hier und da stehen und ging dann weiter. Warum setzt du dich nicht auch?

QUITT Du siehst schlecht aus.

Pause.

FRAU Ja, aber immerhin ist es schon Abend.

Sie steht auf und geht schnell hinaus. Quitt setzt sich, noch bevor sie draußen ist.

Er bleibt einige Zeit allein. Die Silhouette der Stadt ist inzwischen ganz beleuchtet. Hans kommt zurück, mit einem Buch. Quitt schaut auf.

HANS Ich bins, noch immer.

QUITT Sag, Hans, wie lebst du eigentlich?

Hans setzt sich.

HANS Schon während Sie sprachen, wußte ich, was Sie sagen würden. Aber ich konnte Sie nicht mehr unterbrechen. Vergessen wir es also.

Pause.

QUITT Hör auf, mir in die Augen zu schauen.

HANS Das tu ich jedesmal, wenn mir nichts andres mehr einfällt, Ihnen gefällig zu sein.

QUITT Erzähl mir von dir.

HANS Wie meinen Sie das?

QUITT Verstehst du nicht: ich bin neugierig auf deine Geschichte. Wie verhältst du dich, wenn du reden möchtest und nur noch schreien kannst? Bist du denn nicht auch manchmal so erschöpft, daß du dir alles nur noch liegend vorstellen kannst? Geht es dir auch so, daß du, wenn du an deine Beziehungen zu andern denkst, überall nur noch nasse schwere Lappen herumliegen siehst? Erzähl mir jetzt von dir.

HANS Sie nennen mich und bekennen sich.

Pause.

QUITT Warum kräht auch mein hänschenkleines Bewußtsein so affektiert in die weite Welt hinaus und kann gar nicht anders? *Schreit.* Und will gar nicht anders? Ich bin wichtig. Ich bin wichtig. Ich bin wichtig. Warum schaust du mir übrigens jetzt nicht in die Augen?

HANS Weil es dort nichts Neues zu sehen gibt.

Pause.

QUITT Lies mir bitte vor.

HANS *setzt sich und liest:* »Ich werde dich nun doch bald fortlassen«, sagte der Oheim eines Tages nach dem Mittagstische, da eben ein prachtvolles Gewitter ging und den rauschenden Regen wie Diamantengeschosse in den See niedersandte, daß es sich in kleinen Sprüngen regte und wallte. Victor antwortete auf die Rede gar nichts, sondern horchte, was ferner kommen würde. »Es ist zuletzt doch alles vergeblich«, hob der Oheim wieder mit langsamer Stimme an, »es ist doch vergeblich, Jugend und Alter taugen nicht zusammen. Die Jahre, die da zu nützen gewesen wären, sind nun vorüber, sie neigen sich jenseits der Berge hinunter, und keine Gewalt kann sie auf die erste Seite herüberzerren, auf der nun schon die kalten Schatten sind.« Victor war im äußersten Maße betroffen. Der Greis saß gerade so, daß die Blitze in sein Antlitz leuchteten, und manchmal war es in dem dämmrigen Zimmer, als ob das Feuer durch die grauen Haare des Mannes flösse und ein rieselndes Licht über seine verwitterten Züge ginge. »O Victor, kennst du das Leben? Kennst du das Ding, das man Alter heißt?«

– »Wie sollte ich, Oheim, da ich noch so jung bin?«
– »Ja, du kennst es nicht, und du kannst es auch nicht kennen. Das Leben ist unermeßlich lange, so lange man noch jung ist. Man meint immer, noch recht viel vor sich zu haben und erst einen kurzen Weg gegangen zu sein. Darum schiebt man auf, stellt dieses und jenes zur Seite, um es später vorzunehmen. Aber wenn man es vornehmen will, ist es zu spät, und man merkt, daß man alt ist. Darum ist das Leben ein unabsehbares Feld, wenn man es von vorne ansieht, und es ist kaum zwei Spannen lang, wenn man am Ende zurückschaut. Es ist ein schillernd Ding, das so schön ist, daß man sich gern hineinstürzt und meint, es müsse ewig währen – und das Alter ist ein Dämmerungsfalter, der recht unheimlich um unsere Ohren weht. Darum möchte man die Hände ausstrecken, um nicht fort zu müssen, weil man so viel versäumt hat. Wenn ein uralter Mann auf einem Hügel mannigfacher Taten steht, was nützt es ihm? Ich habe vieles und allerlei getan und habe nichts davon. Alles zerfällt im Augenblicke, wenn man nicht ein Dasein erschaffen hat, das über dem Sarge noch fortdauert. Um wen bei seinem Alter Söhne, Enkel und Urenkel stehen, der wird oft 1000 Jahre alt. Es ist ein vielfältig Leben derselben Art vorhanden, wenn er fort ist, dauert das Leben doch noch immer als dasselbe, ja man merkt es nicht einmal, daß ein Teilchen dieses Lebens seitwärts ging und nicht mehr kam. Mit meinem Tode fällt alles dahin, was ich als Ich gewesen bin . . .« Nach diesen Worten hatte der alte

Mann zu reden aufgehört. Er legte sein Tellertuch, wie er es gewöhnlich tat, zusammen, rollte es zu einer Walze und schob es so in den silbernen Reif, den er zu diesem Zwecke hatte. Dann stellte er die verschiedenen Flaschen in eine gewisse Ordnung zusammen, legte die Käse und Zuckerbäckereien auf ihre Teller und stürzte die gehörigen Glasglokken darauf. Von all den Sachen trug er aber nichts von dem Tische weg, wie er es sonst immer pflegte, sondern ließ sie stehen und blieb davor sitzen. Das Gewitter war indessen vorübergegangen, es zog mit sanfteren Blitzen und schwächerem Rollen jenseits der östlichen Gebirgszacken hinunter, die Sonne kämpfte sich wieder hervor und füllte das Gemach allmählich mit lieblichem Feuer. Als der andere Morgen anbrach, nahm Victor seinen Reisestab in die Hand und hing das Ränzlein mit einem der Tragriemen an seinen Arm. Der Spitz, der alles verstand, tanzte vor Freuden. Das Frühstück wurde unter unbedeutenden Gesprächen verzehrt. »Ich werde dich bis zum Gitter begleiten«, sagte der Oheim, als Victor aufgestanden war, sein Ränzlein auf den Rücken genommen hatte und Miene machte, sich zu beurlauben. Der Greis war in ein Nebenzimmer gegangen und mußte dort auf eine Feder gedrückt haben, oder sonst einer Vorrichtung zugegangen sein; denn Victor hörte in dem Augenblicke das Rasseln des Gitters und sah durch das Fenster, wie dasselbe sich langsam öffnete. »So«, sagte der Oheim, indem er hinausging, »es ist in Bereitschaft«. Victor griff nun nach dem

Stabe und setzte seinen Hut auf das Haupt. Der Greis ging mit ihm über die Treppe hinab und über den Gartenplatz bis zu dem Gitter. Beide sagten sie auf dem Wege kein Wort. An dem Tore blieb der Oheim stehen. Victor sah ihn eine Weile an. Aus den hellen Augen drangen ihm die schimmernden Tränen – Zeugen eines tiefen Gefühls – dann bückte er sich plötzlich nieder und küßte heftig die runzlige Hand. Der alte Mann gab einen dumpfen, unheimlichen Laut von sich – es war wie ein Schluchzen – und stieß den Jüngling bei dem Gitter hinaus. Nach zwei Stunden war er in Attmaning, und da er aus den dunklen Bäumen gegen den Ort hinausschritt, hörte er zufällig das Läuten der Glocken desselben, und nie hat ihm ein Ton so süß gedeucht als dieses Läuten, das so lieblich in seine Ohren fiel, weil er diesen Klang so lange nicht mehr gehört hatte. Auf der Wirtsgasse waren Viehhändler mit den schönen braunen Tieren des Gebirges, die sie gegen das Flachland hinaustrieben, und in der Stube war alles voll Menschen, da eben Wochenmarkt war. Victor war es, als hätte er unterdessen lange geträumt und wäre jetzt wieder in der Welt. Als er wieder zu den Feldern der Menschen, zu ihren Fahrstraßen und ihrem lustigen Treiben hinausgekommen war, als sich die Fläche mit sanften Hügeln geschmückt in unermeßliche Länge und Breite vor ihm ausdehnte und die verlassenen Gebirge nur mehr wie ein blauer Kranz hinter ihm schwebten: ging ihm das Herz in dieser großen Umsicht auseinander und eilte ihm weit,

weit über den fernen, kaum sichtbaren Strich des Gesichtskreises voraus.

Pause.

QUITT Wie schön, daß dieser Sessel eine Kopflehne hat.

Pause.

Und wieviel Zeit seit damals vergangen ist! Damals, im 19. Jahrhundert, auch wenn man gar keine Weltgefühle mehr hatte, gab es doch wenigstens noch eine Erinnerung daran und eine Sehnsucht. Deswegen konnte man die nachspielen und spielte sie den andern vor, wie zum Beispiel in dieser Geschichte. Und weil man sie so ernst und geduldig und gewissenhaft wie ein Restaurateur, Stifter war ja ein Restaurateur, nachspielte, stellten sich die Gefühle auch wirklich ein, vielleicht. Immerhin glaubte man, daß es das gab, was man spielte, oder daß es möglich war. Ich spiele ja nur noch an auf Vergangenes, erzähle alles ernst Gemeinte sofort als Witz, eigene Lebenszeichen rutschen mir höchstens heraus, und es gibt sie auch nur für den Moment, in dem sie herausrutschen. Danach sind sie dann ja: wo man früher das Ganze erblicken wollte, sehe ich jetzt nichts als Einzelheiten. He Sie mit den angewachsenen Ohrläppchen! rutscht es mir plötzlich heraus, und statt mit jemandem zu reden, der mir auffällt, trete ich ihm von hinten auf die Hacken, daß er den Schuh verliert. Ich möchte so gern pathetisch sein! v. Wullnow, mit einigen Frauen in irgendeinem Morgengrauen nackt badend, brüllte im Wasser die ganze Zeit

Studentenlieder – das ist von ihm übriggeblieben. Was mir herausrutscht, ist nur noch die Jauche der vergangenen Jahrhunderte. Um sie zu vertuschen, führe ich ein Geschäftsleben. Ich gehe schon aufs erste Klingeln zum Telefon. Ich rede schneller, wenn hinter mir schon die Wagentür aufgehalten wird. Wir setzen gemeinsame Preise fest und halten uns treu daran. Auf einmal fällt mir ein, daß ich etwas spiele, das es gar nicht gibt, und das ist der Unterschied. Das ist die Verzweiflung! Weißt du, was ich tun werde? Ich werde mich nicht an die Absprache halten. Ich werde ihre Preise ruinieren und sie selber dazu. Ich werde mein altmodisches Ich-Gefühl als Produktivmittel einsetzen. Ich habe noch nichts von mir gehabt, Hans. Und sie werden sich mit kalten Händen die heißen Köpfe kühlen. Und dann werden auch die Köpfe kalt werden. Es wird eine Tragödie sein. Eine Tragödie aus dem Geschäftsleben, in der ich der Überlebende sein werde. Und mein Kapital in dem Geschäft, das werde nur ich sein, ich allein. Ich werde aus mir herausrutschen, und die Jauche wird sie wegschwemmen. Es wird blitzen, und die Vorstellung wird Wirklichkeit sein.

Es donnert.

HANS Dazu fällt mir kein Reim ein.

QUITT Gute Nacht.

Hans ab.

Quitt trommelt sich auf die Brust und stößt den Tarzanschrei aus.

Pause.

Seine Frau kommt herein und stellt sich vor ihn hin.

FRAU Ich möchte dir noch etwas sagen.

QUITT Sprich mich nicht an. Ich will jetzt nicht aus mir heraus. Ich bin jetzt ich und als solcher nur für mich selber zu sprechen.

FRAU Aber ich möchte dir etwas sagen. Bitte.

Pause.

QUITT *auf einmal sehr zärtlich:* Dann sag es mir. *Er nimmt sie um die Hüfte, sie bewegt sich in seinem Arm.* Sag es mir.

FRAU Ich... wo das... weil nämlich... hm... und du... nicht wahr... *Sie lacht unschlüssig.* ... dies und das... und der Herbst... wie ein Stein... jenes Rauschen... die Ammoniten... und die Schuhsohlen...

Während sie sprach, wurde die Bühne dunkel.

2

Die Silhouette der Stadt. An der Stelle des Sandsacks hängt jetzt ein riesiger Luftballon, der, zunächst unmerklich, verschrumpelt. Ein großer, angestrahlter, langsam schmelzender Eisblock anstelle der Sitzgruppe. Ein Glas-Trog mit aufgehendem Teig woanders, ebenfalls angeleuchtet. Ein Klavier. Ein dunkler Felsquader im Hintergrund, auf dem Schriftzeilen langsam und stetig verbleichen: »Unsere größte Sünde – Die Ungeduld der Begriffe« *und* »Das Schlimmste ist überstanden – Die letzte Hoffnung«. *Daneben Kinderzeichnungen. Gleichbleibende übliche Bühnenbeleuchtung.*

Hans liegt in einem alten Liegestuhl, bekleidet wie vorhin, und schläft. Er murmelt im Schlaf und lacht. Die Zeit vergeht.

Quitt kommt hinter der Wand hervor und reibt sich im Gehen die Hände. Zwischendurch macht er einen Tanzschritt. Er pfeift vor sich hin.

QUITT Wie lang habe ich schon nicht mehr gepfiffen! *Er summt. Durch das Summen kriegt er Lust zu reden.* Du, Hans! *Hans springt aus dem Schlaf auf und will Quitt sofort einen nicht vorhandenen Mantel abnehmen.* Du kannst wohl nicht einmal im Schlaf zu dienern aufhören. Als ich gerade so vor mich hin sang, hielt ich es plötzlich nicht mehr aus, allein zu sein. *Er betrachtet Hans.* Und jetzt störst du mich schon wieder. Hast du von mir geträumt? Ach laß, ich bin gar nicht neugierig darauf. *Er pfeift wieder. Hans pfeift mit.* Hör auf zu pfeifen. Wenn Du mitpfeifst, vergeht mir jeder Spaß daran.

HANS Ich träumte! Wirklich, ich träumte! Der Traum handelte von einem Taschenkalender mit rauhen und glatten Seiten. Die rauhen Seiten waren die Arbeitstage, die glatten die Tage, an denen ich frei hatte. Ich rutschte ganze Tage über die Kalenderseiten.

QUITT Träum zu, kleiner Träumer, träum zu – solang du dir deine Träume nur nicht auslegst.

HANS Wenn aber der Traum sich selber mir auslegt, wie zum Bespiel gerade?

QUITT Du redest von dir. Wie kommt das?

HANS Sie haben mich angesteckt.

QUITT Und wie?

HANS Indem Sie sich persönlich ausspielten – und auch Erfolg mit sich haben. Plötzlich sah ich, daß mir etwas fehlte. Und als ich überlegte, merkte ich, daß mir alles fehlte. Zum ersten Mal gabs mich nicht nur so für mich, sondern als jemand Vergleichbaren, zum Beispiel mit Ihnen. Ich ertrug das Vergleichen nicht mehr, fing zu träumen an, wertete mich aus. Sie haben mich übrigens gerade unterbrochen, es war wichtig. *Er setzt sich wieder und schließt die Augen. Er schüttelt den Kopf.* Vorbei.

QUITT Du willst mich also verlassen?

HANS Im Gegenteil, ich will für immer hier bleiben. Ich habe noch viel von Ihnen zu lernen.

QUITT Möchtest du wie ich sein?

HANS Ich muß. Seit neuem zwinge ich mich, Ihre

Schrift nachzuahmen. Ich schreibe nicht mehr schräg, sondern aufrecht. Das ist wie sich aus einer lebenslangen Verbeugung aufzurichten. Aber es tut auch weh. Außerdem stütze ich die Hände nicht mehr so *Daumen nach vorn, die Finger nach hinten* in die Hüften, sondern wie Sie *die Finger nach vorn, Daumen nach hinten.* Das gibt mehr Selbstvertrauen. Im Stehen *er steht auf* benutze ich seit neuem wie Sie Stand- und Spielbein. Ein neues Freizeitgefühl! Nur wenn ich was einkaufe, zum Beispiel im Fleischergeschäft, stelle ich die Beine ganz eng und streng nebeneinander und rühre mich nicht vom Fleck. Das imponiert als etwas Herrschaftliches, und ich bekomme immer das bestabgehangene Filet und die frischeste Kalbsleber. *Er gähnt.* Haben Sie bemerkt: ich gähne auch nicht mehr so ungeniert wie früher, sondern mit eingezogenem Mund, so wie Sie.

QUITT Der kurze Sinn: du bist also weiter für mich da?

HANS Weil es mich treibt, so frei wie Sie zu sein. Sie haben alles, leben nur noch für sich, müssen sich mit nichts mehr vergleichen. Ihr Leben ist poetisch, Herr Quitt. Und die Poesie schafft bekanntlich ein Machtgefühl, das niemanden unterdrückt – vielmehr uns Unterdrückten die Freiheit vortanzt. Früher kam ich mir ja schon ertappt vor, wenn mir jemand beim Briefmarkenlecken zuschaute. Nicht mehr mit der Wimper zu zucken, wenn man mich einen Lakai nennt; seelenruhig im Frack die Mülltonne auf den Gehsteig zu tragen; selbstbewußt eingehakt neben der häßlichsten Frau herzugehen; ungerührt Arbeiten zu verrichten, für die ich nicht angestellt bin – das ist meine Freiheit, die ich von Ihnen gelernt habe. Früher beneidete ich Sie um das, was Sie sich leisten konnten, fühlte mich nicht als Hans, sondern als Hanswurst behandelt – bemerken Sie meine Freiheit, ich mache schon Wortspiele! –, schimpfte Sie bei mir einen Blutsauger, sah in Ihnen nicht den Menschen, sondern den Konzernherrn. So unfrei war ich also. Jetzt sehe ich immer, kaum daß ich Sie mir vorstelle, die selbstsichere Kurve, die Ihre Uhrkette in einem weiten Bogen über Ihren Bauch beschreibt, und bin schon gerührt.

QUITT Das kommt mir bekannt vor.

HANS *lacht.*

QUITT So, du spottest nur. Ich hätte mir denken können, daß jemand mit deiner Geschichte immer der gleiche bleiben muß. Aber um dich geht es ja nicht. Es sind die andern, die zählen.

HANS Verachten Sie sich eigentlich, Herr Quitt – nachdem Sie doch alle verschoben haben?

QUITT Mich? Nein. Aber jemand wie mich würde ich vielleicht verachten.

Lange Pause.

Reagier doch endlich. Als du gerade nichts antwortetest, kroch ab einem gewissen Moment auf einmal in mich zurück, was ich gesagt hatte, und wollte sich ungesagt machen, und mich, indem es tief innerlich schrumpfend zugleich heftig an mir saugte, dazu.

Lange Pause.
Du belustigst dich über meine Sprache. Ich würde
mich auch lieber mit Sprachlosigkeit ausdrücken
wie die einfachen Leute in dem Theaterstück kürzlich, erinnerst du dich? Da hättest du wenigstens
Mitleid mit mir. So leide ich daran, daß bei mir
zum Leiden die Sprechlust gehört. Bei euch ist ja
nur mitleidsfähig, wer von seinen Leiden nicht
sprechen kann.

HANS Wie wollen Sie denn bemitleidet werden? Auch
wenn Sie vor Leid Ihre Sprache verlieren, würde
für Sie Ihr Geld sprechen, und das Geld, das ist
eine Tatsache, und Sie, Sie sind nur ein Bewußtsein.

QUITT Ich kam aufs Mitleid auch nur, weil mich die
Personen in dem Theaterstück so rührten – nicht,
daß sie sprachlos waren, sondern daß sie mit ihren
scheinbar entmenschten Umgangsformen in Wirklichkeit auf ebensolche Weise lieb zueinander sein
wollten, wie wir Zuschauer, die alle in mensch-
licheren Umständen leben, es längst schon sind.
Auch sie wollen Zärtlichkeit, Treue, ein Leben zu
zweit, Geborgenheit – sie können es nur nicht
sagen und vergewaltigen und ermorden einander,
das rührte mich. *Höhnisch?* Außerdem ist es ja
wirklich so: wenn Leute aus den unteren Schichten
miteinander reden, sagen sie jeweils nicht mehr als
einen einzelnen kurzen Satz. Und die Pausen
dazwischen sind meistens noch viel länger. Ich
kenne das aus meiner Kindheit, wenn alle bis auf
die Mutter in der Wohnküche saßen – die ja übri-

gens wieder in Mode kommt, ich habe sie gerade in die Produktion aufgenommen –, das Strickzeug verlassen ohne Nadeln auf dem Tisch lag, die Küchenuhr tickte und endlich die Klospülung rauschte und die Mutter blutleer mit weichen Knien hereinschlich. Mein Vater war, wie du weißt –

HANS Ja, ich weiß. Vielleicht rührten Sie die Personen auf der Bühne aber nur deswegen, weil alles gezeigt wurde, wie es ist. Wenn man nämlich jemanden auf einer Zeichnung lebensecht wiedererkennt, bekommt man ja oft ein seltsames Mitgefühl für die Person auf der Zeichnung, ohne Gefühl für die wirkliche Person. Könnte es Ihnen mit dem Stück nicht ähnlich ergangen sein? Daß Sie mit den dargestellten Sprachlosen fühlen und dabei die wirklichen mitabgetan glauben? Und warum wollen Sie überhaupt auf der Bühne Gestalten sehen, die für Sie vergangen und fremd sind?

QUITT Weil ich mich gern an die Zeiten zurückerinnere, als es mir auch noch schlecht ging und ich mich nicht ausdrücken konnte, und vor allem, weil die geschminkten Fratzen aus meiner eigenen Schicht ohnedies schon im Zuschauerraum sitzen. Auf der Bühne wünsche ich mir die andere Schicht, möglichst kraß und ungeschminkt. Schließlich gehe ich ins Theater, um mich zu entspannen.

HANS *lacht:* So, jetzt spotten Sie.

QUITT Ich meine das ernst.

Er lacht. Beide lachen.

Quitts Frau kommt herein.

FRAU Lacht Ihr über mich?

QUITT Über wen sonst?

FRAU Und was habt ihr über mich gesprochen?

HANS Nichts. Wir haben nur über Sie gelacht.

Quitts Frau lacht auch. Sie schlägt Quitt auf die Schulter, boxt ihn in die Rippen.

QUITT Wir sind einmal alle fröhlich, nicht wahr?

HANS Da Ihre Geschäfte so gut gehen, Herr Quitt – schenken Sie mir eine Münze.

QUITT Bitte!

Er will eine Münze in die ausgestreckte Hand von Hans legen, aber der zieht die Hand zurück und streckt die andre vor. Quitt will die Münze nun in diese Hand legen, aber Hans hat schon wieder, wie um sich Quitt anzupassen, die erste Hand vorgestreckt. Als er merkt, daß Quitt..., streckt er die zweite wieder vor. Quitt hat die Münze aber inzwischen wieder in die erste Hand legen wollen. Usw., bis Quitt die Münze wieder wegtut, zum Klavier geht und sofort einen Boogie spielt. Quitts Frau ergreift Hans und tanzt mit ihm... Dann spielt Quitt plötzlich einen langsamen traurigen Blues und singt dazu.

Manchmal wachte ich auf in der Nacht
und alles was ich für den nächsten Tag wollte
kam mir so lächerlich vor
Wie lächerlich das Hemd zuzuknöpfen
Wie lächerlich euch in die Augen zu schauen
Wie lächerlich der Schaum auf dem Bierkrug
Wie lächerlich von dir geliebt zu werden

Manchmal lag ich wach
und alles was ich mir vorstellte
macht mir alles nur noch unvorstellbarer
Unvorstellbar die Lust an einer Würstchenbude zu
stehen
Unvorstellbar Neuseeland
Unvorstellbar an früher und später zu denken
Unvorstellbar zu leben oder tot zu sein

Ich möchte dich hassen und hasse Kunstleder
Du möchtest mich hassen und haßt den Nebel
Ich möchte dich lieben und liebe Hügellandschaf-
ten
Du möchtest mich lieben
und hast eine Lieblingsstadt eine Lieblingsfarbe
ein Lieblingstier

Bleibt alle weg von mir
Es ist die Zeit nach meinem Tod
und was ich mir gerade seufzend als Leben vorstellte
sind nur jene Blasen auf meinem Körper
welche seufzen wenn sie platzen
Er hört auf zu singen.
Aber jetzt geht es uns gerade gut, nicht wahr? Ich
sah nur in der Sonne eine Frau mit gefüllter
Einkaufstasche gehen und wußte schon: Mir kann
nichts mehr passieren! Eine alte Dame hörte ich
sagen: »Petersilie am Stengel, das hab ich noch nie
gegessen«. Und dann sagte sie: »Na, und ich glaube, ich lasse es auch jetzt bleiben«. Es kann mir

nichts mehr passieren! Es kann mir nichts mehr passieren!

Er singt weiter.

Kein Traum

könnte mir jetzt eine Sache noch fremder darstellen

als ich sie schon erlebt habe

und kein Kraut

ist gegen die Ruhe gewachsen

Er spricht wieder.

mit der ich jeden Morgen meinen Kasperle aus dem Hosenschlitz in den Guckkasten zappeln lasse, zum Verrichten der täglichen Lebensnotdurft, die ich mir in der schlaflosen Nacht nicht mehr vorstellen konnte.

v. Wullnow, Koerber-Kent und Lutz erscheinen schweigend. Quitts Frau will gehen.

QUITT Bleib.

Sie geht. Auch Hans geht.

Pause.

QUITT Es gibt euch also noch.

Pause.

Wollen wir es uns nicht gemütlich machen?

Pause.

Was darf ich euch anbieten? Klaren Schnaps oder Cognac?

KOERBER-KENT Nein, danke. Dazu ist es noch zu früh.

QUITT Oder Saft, frisch ausgepreßt?

KOERBER-KENT Das verträgt mein Magen nicht. Ich habe zu viel Magensäure.

64

QUITT Dann wenigstens ein paar Salzstangen. Oder lieber Partyfischlein?

LUTZ Danke, wir möchten wirklich nichts. Ernstlich. Bloß keine Umstände.

QUITT Du hast einen Frosch im Hals. Hans wird dir Kamillentee kochen.

Lutz schüttelt den Kopf.

Es sind selbstgepflückte Kamillen, vom Mittelmeer! Ganze Blüten!

LUTZ *räuspert sich:* Es ist schon vorbei. Ich brauche nichts.

QUITT Und Sie, Monsignore? Vielleicht wenigstens eine Pfefferminzpastille? Hundert Prozent reine Pfefferminze.

KOERBER-KENT Auch ich bin ganz zufrieden.

QUITT Ich würde sie Ihnen selber auf die Zunge legen.

KOERBER-KENT Ich lutsche sonst sehr gern Pfefferminzpastillen, aber heute bitte nicht.

QUITT Wieso gerade heute nicht? Es ist doch nicht Freitag, oder?

KOERBER-KENT Ich will einfach nicht. Das ist alles. Glauben Sie mir um Gottes Willen.

QUITT Jetzt haben Sie den Namen Gottes leichtfertig gebraucht. Ich kann Sie also nicht überreden? Sie wollen mir einen Korb geben?

KOERBER-KENT Wenn Sie es so auffassen.

QUITT Ich bin beleidigt.

Er geht hinaus. Koerber-Kent will ihn mit einer Geste aufhalten. v. Wullnow winkt ab.

v. WULLNOW Ich weiß. Ich könnte ihn mit einem Peit-
schenhieb köpfen und euch das geköpfte Huhn auf
den Tisch klatschen. Ich knirschte gerade so stark
mit den Zähnen, daß sich darin einige Risse gebil-
det haben müssen. *Er zeigt die Zähne.* Da! Verrä-
ter, Schubiak, Polack! Ich raste innerlich, einmal
zitterte sogar kurz meine Hand, was mir sonst das
Fremdeste vom Fremden ist. Inzwischen ist sie freilich schon wieder völlig ruhig. Seht! *Er zeigt die
Hand.* Aber wir müssen jetzt vernünftig sein, im
wirtschaftlichsten Sinn des Wortes: zuerst so vernünftig wie nötig, dann, wenn er unsre Vernunft nicht
mehr nötig hat, so unvernünftig wie möglich. Ich
freue mich schon auf meine Unvernunft! *Er macht
eine Pantomime des Zertrampelns, Kujonierens
und Erwürgens.*

LUTZ *unterbricht ihn:* Ja, das ist es. Wir müssen
uns einen Moment gehen lassen, wie Sie gerade.
Vielleicht wissen wir dann weiter. Sagen oder tun,
was uns durch den Kopf geht. Daraus wird sich
dann die Methode ergeben. Er machts ja schließlich genauso. Also, träumen wir.
Pause.
Sie sammeln sich.
Pause.
Es passiert einfach nichts bei mir. Ich sehe mich
nur ein Filetsteak gegen die Faserrichtung schnei-
den oder in so kurzen Hosen Tennis spielen, daß
zur einen Seite der Hodensack heraushängt.
Pause.
Koerber-Kent kratzt sich am Hintern und wird

angeschaut.

KOERBER-KENT Mir fiel nur gerade unser Kleinaktionär ein...

Pause.

v. Wullnow lacht auf.

LUTZ Sie lachen?

V. WULLNOW Ich erinnerte mich.

LUTZ War es etwas so Komisches?

V. WULLNOW Es war nur die Erinnerung.

Pause.

Die Korntruhen auf dem Dachboden, das rieselnde
Korn und der Mäusedreck drin, die Kornwirbel, in
die die Erinnerung einsank als nackter Knabenfuß,
die Körner zwischen den Zehen, das leere und von
der Erinnerung doch so beseelte Wespennest an der
Unterseite der Ziegel.

Pause.

Ich muß aufhören. Mich zu erinnern macht mich
zum guten Menschen. Ich würde mich sonst auf der
Stelle versöhnen. O Quitt, o Quitt, warum hast du
uns verlassen?

LUTZ Ich weiß jetzt, was wir tun. Wir müssen von uns
sprechen, von uns als einzelnen – wie wir wirklich
sind. Ich zum Beispiel möchte manchmal auf der
Straße aufhüpfen und tue es nicht. Warum nicht?
Und der letzte Sommer ging vorbei, und ich saß im
Büro mit den getönten Scheiben, ohne daß ich den
Sommer erlebt hatte. Ab und zu mache auch ich
Verrücktheiten: ich esse das Faule an einem Apfel
mit, schlage eine Autotür zu, auch wenn noch
Leute drin sitzen... So ähnlich jedenfalls... Und

wenn das nicht hilft, gibt es immer noch *zu*
Koerber-Kent – unseren Kleinaktionär. Der wird
ihm zeigen,
Quitt kommt zurück.
wo der Mond aufgeht.

QUITT Ihr fehlt mir doch. Und ich euch vielleicht
auch.

V. WULLNOW Quitt, heute früh hatte ich ein Paket
Mehl in der Hand. Weißt du, wie lange ich schon
kein Mehl mehr in der Hand hatte? Ich weiß es
selber nicht. Die Packung war so weich und
schwer. Dieses Gewicht in meiner Hand und die
Sanftheit des Drucks zugleich! Ich wurde entrückt
in eine wonnige Unwirklichkeit. Geht es dir nicht
auch manchmal so?

QUITT Die unangenehmste Wirklichkeit ist mir
erträglicher als das Gefühl der wonnigsten Unwirklichkeit.

LUTZ *lenkt ab:* Wie gehts deiner Frau?

QUITT Meiner Frau? Meiner Frau geht es gut.

LUTZ Sie sah auch gut aus gerade. Mit roten Wangen,
wie eben vom Tennis gekommen. Mir fiel dabei
meine ein, die den ganzen Tag auf der Terrasse das
Kind schaukeln muß. Du weißt, wir haben ein
zurückgebliebenes Kind, das schreit, sobald es zu
schaukeln aufhört. Ganze Tage steht sie im Garten
und stößt die Schaukel an, stell dir das vor. Aber es
macht ihr inzwischen Spaß. Sie sagt, es beruhigt sie
selber. Und sie fühlt sich den Frauen um sie herum
überlegen, denen außer Putzanweisungen geben

**Suhrkamp
Literatur
2. Halbjahr
1973**

Achternbusch

Bernhard

Eich

Frischmuth

Fries

Fühmann

Handke

Hesse

Johnson

Joyce

Kühn

Nossack

Pedretti

Sylvanus

Herbert Achternbusch: Der Tag wird kommen

Roman
Etwa 140 Seiten. Leinen. ca. DM 18,–

Der Tag wird kommen ist ein Roman in vier Teilen:
1. *Happy:* Nach 17 Jahren Angestelltenverhältnis radelt Happy zur Wirtschaft seiner Vorväter. Hier trifft er die »Frau seines Lebens«. Sein Kopf ist voll von dem Gequassel seiner Chefin; Reisebericht aus Bali. Die Erkenntnis, daß er eigentlich seine Mutter gesucht hat.
2. *Im Tal des Todes:* Besuch seiner Mutter im Dorf. Ihr Leben, das er nie wahrgenommen hat, in Gefängnissen und Nervenheilanstalten. Begräbnis seines Freundes.
3. *Der Neger Erwin:* In der Wirtschaft die Einsicht, daß sein Leben genauso konsequent abgespult worden wäre – wie im Film –, wenn er, in Afrika geboren, auf einer Missionsstation erzogen, nach München gekommen, seine Chefin getroffen hätte. Eine Fabrikantengattin erzählt.
4. *Der Tag wird kommen:* In der Wirtschaft der Entschluß, aus seinem Lebenslauf einen Roman zu machen, aus dem Arbeitsentgelt seiner Chefin, einer Wiese, optimal Kapital zu schlagen. Erfahrungen in Amerika bei Auto-Ford und in Wildwestfilmen. Eigene Fabrik. Nacht. Der Tag wird kommen.
Achternbusch erzählt immer konkret, realistisch; gerade deshalb scheint alles so unwirklich: die Kommunikationsschwierigkeiten, die vermeintliche Identität verschiedener Personen, die unüberbrückbare Diskrepanz von Wunsch und Realität. Diese Szenen aus dem Leben des Happy gehören zum Besten der zeitgenössischen deutschen Prosa, weil sie gerade auch ein Abbild unserer Gegenwart sind.

Barbara Frischmuth
Das Verschwinden des Schattens in der Sonne

Roman
236 Seiten. Leinen. ca. DM 18,–

In dem neuen Buch von Barbara Frischmuth geht es ums Zurechtfinden. Es ist ein Roman der *Orientierung,* und dies im wörtlichen Sinne: die Ausrichtung auf eine fremde Umwelt. Eine Studentin der Orientalistik reist nach Istanbul. Sie hat ein paar Adressen, wissenschaftliche und private. Sie ist gekommen, um Materialien für ihre Dissertation zu finden, von der sie nur weiß, daß sie die Geschichte des schiitischen Ordens der Bektaschi behandeln soll. Diese Suche nach der Vergangenheit tritt bald in den Hintergrund, wird aber nicht vergessen. Denn *die Stadt* und ihre Menschen zermürben die wissenschaftliche Konzentration. Die Mühen der Anpassung an die Sprache und die unbekannte Umwelt und deren Sitten verbrauchen den Tag, die Kraft, die Phantasie.

Sonderausgabe in einmaliger Auflage

Hermann Hesse: Weg nach innen

Klingsors letzter Sommer. Siddhartha.
Wanderung. Kinderseele. Klein und Wagner
Mit farbigen Aquarellen von Hermann Hesse
Etwa 410 Seiten. Leinen. ca. DM 20,–

Seine neuen, unmittelbar nach der Katastrophe des Ersten Welt-
kriegs entstandenen Arbeiten hat Hesse unter dem programma-
tischen Titel *Weg nach Innen* gesammelt. Nach vierjähriger, durch
freiwillige Kriegsgefangenenfürsorge fast völliger schriftstelleri-
scher Abstinenz und nach der Trennung von Familie und Wohnsitz
entstanden eruptiv und wie unter Diktat in rascher Folge die
Texte dieses Bandes. Ergänzt um die Prosaskizzen *Wanderung* zeigen sie eine der wichtigsten Phasen in der Entwicklung Hermann
Hesses. Die Texte, die zu den schönsten Prosadichtungen Hesses
zählen, sind durch die politischen Erfahrungen des Ersten Welt-
kriegs und durch eine tiefe persönliche Krise geprägt. Dieser Weg
nach innen ist kein Weg in eine Innerlichkeit, vielmehr ein Weg
zum Gewissen des Einzelnen.

Adrian Hsia: Hermann Hesse und China

Darstellung, Materialien und Interpretation
Etwa 300 Seiten. Leinen. ca. DM 20,–

Hans Erich Nossack: Bereitschaftsdienst

Bericht über die Epidemie
Etwa 150 Seiten. Leinen. ca. DM 20,–

Vor einigen Jahren grassierte eine heimtückische Epidemie: die
Selbstmord-Epidemie. Menschen jeden Alters und jeder Herkunft
fielen dieser Seuche anheim.
Derjenige, der über diese Vorgänge berichtet, war in mehrfacher
Weise betroffen. Als Chemiker an einem Hygienischen Institut
wurde ihm die Machtlosigkeit der Wissenschaft unerträglich, und
er meldete sich freiwillig als Helfer zum Bereitschaftsdienst. Eines
nachts wurde der Berichterstatter nach Hause gerufen: ohne
eine Nachricht zu hinterlassen, hatte sich seine Frau mit den beiden Kindern umgebracht.
So beängstigend das Sterben in Massen vor sich ging, so beun-
ruhigend die Frage gestellt wurde, was die übrige Menschheit
wohl befähigte, die Epidemie zu überstehen – ein Gedanke er-
höht das Grauen: ein Gleichnis? Ein möglicher historischer Vorgang, der als privates Memorandum gleichnishaft zu denken gibt?

Joyce am schwierigsten Buch des Jahrhunderts schreibt, kümmert er sich gleichzeitig mit der ihm eigenen Hartnäckigkeit um deren Probleme.

Den Band beschließt ein ausführliches Personen- und Werkregister, durch das die Briefausgabe als ganze überschaubar und benutzbar wird.

Bereits erschienen:
Band 1: Dubliner. Band 2: Stephen der Held. Band 5: Briefe I, 1900–1916. Band 6: Briefe II, 1917–1930.

Spectaculum 19
Fünf moderne Theaterstücke

Thomas Bernhard, Der Ignorant und der Wahnsinnige. Volker Braun, Hinze und Kunze. Elias Canetti, Hochzeit. Tankred Dorst, Eiszeit. Bernhard Shaw, Pygmalion.
Etwa 320 Seiten. Leinen. Abonnementspreis DM 12,80. Einzelpreis DM 14,80

Die Vielfalt und Spannweite des zeitgenössischen deutschen Theaters ist beträchtlich. Aber auch dieser Band Spectaculum beweist, daß das Gewicht der deutschsprachigen Autoren in den letzten Jahren stärker geworden ist: Vier Autoren, die bei aller Unterschiedlichkeit ihren eigenen Zugang zu Fragen unserer Gesellschaft gefunden haben.
Gesellschaft, so begriffen, beschränkt sich nicht allein auf die des bundesrepublikanischen Staates. Die DDR ist ebenso vertreten wie Österreich. Und Shaw, der als einziger nicht deutschsprachiger Autor vertreten ist, verstärkt den europäischen Zug, der den Themen und Stilen der Autoren eigen ist.

Josué de Castro: Geopolitik des Hungers

Aus dem Französischen von Walter Quast
Etwa 600 Seiten. Gebunden. ca. DM 36,–

Dieses Buch gibt einen umfassenden Überblick über das brennendste Problem unserer Tage, dessen Lösung über das Überleben und die Zukunft der Menschheit entscheidet: das Verhältnis von Geographie, Politik und Hunger. Die Grundthese des Verfassers, die mit einer Fülle von Material belegt wird, lautet: Nicht die Überbevölkerung ist die Ursache des Hungers, sondern der Hunger ist die Ursache der Überbevölkerung.
Geopolitik des Hungers wurde in 24 Sprachen übersetzt. Die hier vorgelegte erste deutsche Übersetzung fußt auf der vollständig revidierten und erweiterten französischen Ausgabe von 1971.
»*Geopolitik des Hungers* stellt ein optimistisches Gegengewicht zu den makabren Lamentationen und Prophezeiungen dar.«
Lord Bertrand Russell (Saturday Literary Review)

Ernest Borneman: Psychoanalyse des Geldes

Eine kritische Untersuchung psychoanalytischer Geldtheorien
Etwa 350 Seiten. Gebunden. ca. DM 26,–

In diesem Buch geht es um die Frage nach den psychischen, unbewußten Ursachen unseres Verhältnisses zum Geld. Sigmund Freud hat 1908 in einer erfolgreichen Arbeit über »Charakter und Analerotik« zum ersten Mal auf den Zusammenhang von übertriebener Sparsamkeit und Lust am Zurückhalten des Darminhalts hingewiesen. Diese analerotische Lust am Zurückhalten des Darminhalts kann wiederkehren als analneurotische Sparsamkeit, Geiz, Neid, Mißtrauen. Tatsächlich laufen alle psychoanalytischen Erfahrungen darauf hinaus, daß der Besitzwunsch, der über das Erforderliche hinausgeht und nur durch privaten Besitz von Produktionsmitteln befriedigt werden kann, neurotischen Ursprungs ist.
Zum ersten Mal sind hier die wichtigsten Arbeiten der psychoanalytischen Literatur über unser Verhalten zum Geld und den Ursprung des Geldes selbst zusammengetragen.

Max Schur: Sigmund Freud Leben und Sterben

Aus dem Amerikanischen von Gert Müller
Etwa 550 Seiten. Leinen. ca. DM 32,–
(Bitte fordern Sie den Prospekt Wissenschaft · Kritik · Dokumentation an)

Bereits angekündigt:

Uwe Johnson: Jahrestage 3

Aus dem Leben von Gesine Cresspahl: 20. April–20. August 1968
ca. 500 Seiten. Leinen. ca. DM 26,–
Die Bände 1–3 in Kassette ca. DM 72,–

Uwe Johnson hat mit dem dritten Band sein großes Werk abgeschlossen. »Jahrestage 1 und 2« wurden von der Kritik als bedeutende und ungewöhnliche literarische Leistung gewürdigt. »Johnsons ›Jahrestage‹«, schrieb Georg Ramsegger, »sind ein Lesebuch, wie es ganz wenige gibt in unseren Zeiten.« Und Hans Mayer schrieb: »Wenn es bei Bewertung von bedeutender Literatur auf Sprachkraft ankommt und auf Sorgfalt der Konstruktion, auf Kenntnis von Dingen und Menschen, literarische Bildung, Humor und Empfindungskraft, dann sind die ›Jahrestage‹ von Uwe Johnson ein bedeutendes Buch.«
Der dritte Band umfaßt das letzte Drittel des großangelegten epischen Werkes; er führt alle Stränge der Erzählung, die im frühen 20. Jahrhundert einsetzte, in die Gegenwart.

Erwin Sylvanus
Korczak und die Kinder. Jan Palach. Sanssouci
Drei Stücke. Etwa 200 Seiten. Kart. ca. DM 16,–

Erica Pedretti: Heiliger Sebastian

Roman
Etwa 160 Seiten. Kart. ca. DM 14,–

»Warum bin ich nie an dem Ort, an dem ich bin?« Anne, die Hauptfigur, stellt diese Frage; aber sie mag sie nicht, weil die Frage nach der Vergangenheit einen Mangel andeutet, auf etwas hinweist, was bisher nicht zur Ruhe kam. In *Heiliger Sebastian* werden Stationen einer Lebensgeschichte aufgezeichnet als Reise- und als Fluchtstationen, wird »das Jetzt und Hier« immer wieder von erinnerten Bildern verstellt. Überall stößt sie auf Unsicheres, sich Auflösendes, so wie, während sie schreibt, die Häuser in der Nachbarschaft abgerissen und neue errichtet werden. Todesah-nungen: die erschossene Puppe im Rinnstein, der tote Bruder, das Begräbnis des mährischen Politikers, Kriegsszenen – und dann die Erinnerung an die eigene Krankheit.
Fragen, auf die es keine oder nur unzureichende Antworten gibt – nicht zufällig wählt Erica Pedretti deshalb die Form des Ge-sprächs, den Monolog, das Interview, den Dialog. Die Dialog-Par-tien werden von Reminiszenzen und Reflexionen unterbrochen oder sie münden in Träume, in denen die erlittenen Erfahrungen und die Ängste der Gegenwart zum Ausbruch kommen.

Walker Percy: Liebe in Ruinen

Die Abenteuer eines schlechten Katholiken kurz vor dem Ende der Welt
Roman. Aus dem Amerikanischen von Hanna Muschg
Etwa 480 Seiten. Leinen. ca. DM 30,–

Percys Roman stellt eine Utopie der näheren Zukunft dar; Schau-platz der Handlung ist, während vier Tagen, Louisiana im Süden Amerikas, 1983. Der Held, Dr. Thomas More, ein später Nach-komme des Heiligen. Dr. More, der sich als schlechten Katholiken bezeichnet, lebt mit drei schönen Frauen in Paradise, wo er das Ende der Welt erwartet. Moore glaubt, die seelischen Leiden seiner Mitmenschen und damit auch das Unheil, das der Welt bevorsteht, aufhalten zu können: er erfand den »qualitativ-quantitativen onto-logischen Lapsometer«, der den jeweiligen Grad der Entfremdung des Menschen von sich selbst feststellt. Nur eines gelang ihm bisher nicht: das Instrument mit seinen diagnostischen Fähigkeiten für Heilzwecke zu vervollkommnen. Im Augenblick größter Rat-losigkeit erscheint ihm Art Immelmann – Mephistopheles der End-zeit.
Mit dieser »elegant-ironischen Vision von der demokratischen Zu-kunft« (Sunday Times), einer »Zukunftsprojektion von bestechender Klarheit« (Time) wird Walker Percy erstmals in deutscher Sprache vorgestellt.

Günter Eich: Gesammelte Werke in vier Bänden

Herausgegeben von Susanne Müller-Hanpft, Horst Ohde, Heinz Schafroth und Heinz Schwitzke
4 Bände. ca. 2 400 Seiten. Dünndruckpapier. Leinen in Kassette. ca. DM 160,–. Einzeln ca. DM 48,–

Am 20. Dezember 1972 starb Günter Eich, fünfundsechzigjährig – ein Dichter, »... einer der Wenigen, die das hohe Wort zu Recht tragen« (Karl Korn).
Die Ausgabe sammelt sein Werk aus mehr als vierzig Jahren, von den Anfängen bis zu den letzten, kurz vor seinem Tode veröffentlichten Gedichten.

Band I: Sämtliche Gedichte. Maulwürfe. Herausgegeben von Susanne Müller-Hanpft und Horst Ohde
Band II und III: Gesammelte Hörspiele. Herausgegeben von Heinz Schwitzke
Band IV: Vermischte Schriften. Marionettenspiele, Erzählungen, Übersetzungen, Betrachtungen und Reden. Herausgegeben von Heinz Schafroth

Günter Eich: Gedichte

Ausgewählt von Ilse Aichinger
BS 368, ca. DM 7,80

Günter Eich zum Gedächtnis

Nachrufe und Erinnerungen. Herausgegeben von Siegfried Unseld
Etwa 200 Seiten. Leinen. ca. DM 20,–

Zwei Schallplatten:
Günter Eich zu ehren

lesen aus seinem Werk Peter Bichsel, Heinrich Böll, Max Frisch, Günter Grass, Peter Handke, Wolfgang Hildesheimer, Walter Höllerer, Peter Huchel, Uwe Johnson, Marie Luise Kaschnitz, Karl Krolow und Jörg Steiner
ca. DM 20,–

Es handelt sich um eine Aufnahme der Veranstaltung des Suhrkamp Verlages »Günter Eich zu ehren« am 1. Februar 1973.
»... mehr als 1 600 kamen zur vielleicht größten, gewiß ungewöhnlichsten deutschen Dichterlesung.«   *Der Spiegel*

Günter Eich liest: Gedichte, Hörspiele, Maulwürfe

Zusammengestellt von Susanne Müller-Hanpft
ca. DM 20,–

Staffan Seeberg: Der Lungenfisch

Ein Zukunftsroman
Aus dem Schwedischen von Hanns Grössel
224 Seiten. Leinen. ca. DM 20,–

Seebergs Zukunftsroman vom *Lungenfisch* – einem Fisch, der in der Periode der Trockenheit, eingegraben im Schlamm, sieben Jahre zu überleben versteht – berichtet von Albert Simsberg, Biochemiker in einem multinationalen Chemiekonzern. Simsberg arbeitet mit an der Entwicklung von Nervengasen, die das menschliche Gehirn, das nach Veränderung der Gesellschaft trachtet, zerstören.
Seeberg (1938), dessen Bedeutung ohne Zweifel weit über die Grenzen seines Landes hinausgeht, wird zum ersten Mal mit diesem unsere Zeit aktualisierenden Roman in deutscher Sprache vorgestellt.

Jorge Semprun: Der zweite Tod des Ramón Mercader

Prix Fémina 1969
Roman. Aus dem Französischen von Gundl Steinmetz
Etwa 540 Seiten. Gebunden. ca. DM 30,–

Jorge Semprun wurde berühmt als Drehbuchautor der Filme *Der Krieg ist aus, Z,* und *Das Geständnis.* Sein neuer Roman, der 1969 den Avantgardepreis Prix Fémina erhielt, ist auf den ersten Blick nichts anderes als eine, allerdings atemberaubende Spionagegeschichte. Sie dient aber dazu, die ganze politische Welt der Gegenwart aus der inneren Perspektive von Menschen vorzuführen, für die Existieren und politisches Engagement gleichbedeutend sind.

James Joyce
Frankfurter Ausgabe, Band 7, Briefe III, 1931-1941

Etwa 660 S. Mit Register. Leinen ca. DM 54,–. Subskr.: ca. DM 40,–. Ldr. ca. DM 80,–

Die Briefedition innerhalb der Frankfurter Ausgabe der Werke von James Joyce wird mit diesem dritten Band abgeschlossen. Im Zusammenhang des Briefwerks nehmen die hier vorgelegten Briefe insofern eine gewisse Sonderstellung ein, als der auf die schriftstellerische Arbeit bezogene Aspekt zurücktritt und Persönliches mehr und mehr die Thematik bestimmt. Es ist, im Rückblick, nicht ohne Ironie, daß mit der zunehmenden Schwierigkeit des Werks die Selbstauslegungen immer seltener werden bzw. ganz aufhören oder die Erwähnung des Werks auf rein Faktisches reduziert ist. Am bedeutsamsten an dieser Sammlung sind vermutlich die Briefe an und über die Kinder, Giorgio und Lucia. Während

Die Studentin läßt sich treiben, erzählen, befragen, vermischt ihre Träume und Imaginationen mit den Geschehnissen.

Der Reiz des Exotischen schwindet, je näher man ihm auf den Leib rückt. Das Idyll des individualistischen Abenteuers wird durch die konkrete politische Situation zerstört.

Barbara Frischmuth erzählt ihren Roman mit der Leichtigkeit und dem poetischen Reiz eines orientalischen Märchens. Aber unter dieser schönen Oberfläche wird die soziale und politische Situation des Landes und zugleich der Entwicklungsprozeß der Hauptfigur deutlich.

Franz Fühmann: 22 Tage oder die Hälfte des Lebens

Etwa 220 Seiten. Leinen. ca. DM 22,–

Dieses Buch, das Buch einer Reise, beginnt am 14. 10. auf dem Ostbahnhof in Berlin. Zu einer Lesung eingeladen, reist der Autor nach Budapest: Und schon fällt eine Flut von Eindrücken über den Leser her: Landschaftsentwürfe, Städtebilder, Brücken, Cafés, Antiquariate, Kinos, Bäder; Personenporträts, literarische Betrachtungen, philologische Grübeleien und philosophische Ruhe-Pausen, die Niederschrift eines Gesprächs, eines Witzes, einer Unpäßlichkeit, Notierungen von Kuriosa, Exkursionen in die tausendjährige Geschichte des Landes, in die Literatur und deren Übersetzungsprobleme – und schließlich das Bedenken einer reicherfahrenen Lebenshälfte, Erinnerungen, Lasten und Lästigkeiten.

Was dieses ›Dokument‹ nicht übertragbar macht sind Fühmanns Wesenszüge: ernst und launig, verdrossen und witzig, schwärmerisch, poetisch und polemisch, trotzig und sensibel. Ein vitales, genußvolles Buch, das uns die Reise nach Budapest ersetzen könnte, entwürfe es nicht auch gleichzeitig die Unwiderstehlichkeit dieser Stadt.

Fritz Rudolf Fries: See-Stücke

Etwa 150 Seiten. ca. DM 18,–

Der Autor und Erzähler reist in nördliche Richtung; Stralsund, Rostock, Rügen, Güstrow, Wismar, Hiddensee ... Orte, in flüchtiger Sommerlichkeit, in Nebel und Nässe, sind Stationen der äußeren Reise. Sie bringt alles mit sich, was eine Reise zu bieten versteht, das Unkommode ebenso wie das überraschend Angenehme, das Lehrreiche und Inspirative, Begegnungen mit Fremden und Freunden und Engeln, Vergangenheiten und Gegenwart.

Es ist erstaunlich, wie empfindsam Fritz Rudolf Fries das alte Genre der Reiseliteratur animiert, äußere und innere Reisen zur Lust werden läßt: zu einer Insel im Meer, zu einer Erfüllung und zugleich zu einer Sehnsucht. »Nachts träumen wir davon, wir hätten die Insel gekauft ...«

suhrkamp taschenbücher

Suhrkamp Verlag, 6 Frankfurt 1, Lindenstr. 29–35, Postfach 4229
(89/99044, Redaktionsschluß 1. 7. 1973)

Dieter Kühn: Die Präsidentin

Roman eines Verbrechens
372 Seiten. Leinen. ca. DM 24,–

Im Roman *Die Präsidentin* rekonstruiert Kühn den historischen Lebenslauf der Marthe Hanau im Frankreich der zwanziger und dreißiger Jahre; von ihrem ersten Versuch, Unternehmerin zu werden, bis zu den spektakulären Hanau-Prozessen. Marthe Hanau hatte den Einfall, eine Finanz- und Wirtschaftszeitung zu gründen und mit ihr die Kurse von Aktiengesellschaften hochzumanipulieren, an denen sie, über Mittelsmänner, beteiligt war. Sie baute ein Imperium von Finanzgesellschaften, Immobiliengesellschaften und Banken auf, dessen Zusammenbruch das damalige französische Kabinett beschäftigte. Am konkreten Fall der Marthe Hanau nun wird erzählend vorgeführt, wie Wirtschaftsverbrechen auf dem Kapitalmarkt seinerzeit und heute funktionieren. Dem aktuellen Thema entspricht die Erzähltechnik des Romans, die darauf verzichtet, nach üblicher Weise eine Person »aus Fleisch und Blut« in den Mittelpunkt zu stellen. Phantasievoll und didaktisch überzeugend entsteht eine synthetische Figur, die allen Gesetzen des Marktes gerecht wird. Und zugleich werden jeweils die Voraussetzungen und die möglichen Folgen solchen Erzählens mit in das Schreiben einbezogen: der Autor schickt sich selbst, in Begleitung eines Börsenfachmanns, als Beobachter aus in ein Gelände, über das bisher nur in der Fachsprache für Eingeweihte detailliert geschrieben wurde. Kühn sichtet und wertet vor den Augen der Leser das Material aus, läßt ihn beim Schreiben über seine Schulter schauen. Auf diese Weise entsteht eine neue Form der Anschaulichkeit. Und das heißt für dieses Buch: es vermittelt Spannung. Die Lektüre wird zum Lesevergnügen.

E. Y. Meyer: In Trubschachen

Erzählung
220 Seiten. Kart. ca. DM 16,–

Als E. Y. Meyers erstes Buch, der Erzählband *Ein Reisender in Sachen Umsturz,* erschien, sprach man von einer literarischen Überraschung.
In Trubschachen ist die Erzählung einer Veränderung der vertrauten Lebensverhältnisse. Um die Jahreswende könnte man verreisen: ins Emmental, nach Trubschachen. Im »Hirschen« quartiert man sich gewissenhaft ein und bemüht sich um ein regelmäßiges Leben. Man schläft viel, liest in Biographien des Immanuel Kant; die eigene Arbeit zögert man immer weiter hinaus.
Auf längeren Spaziergängen nimmt die Beobachtungsgabe zu: das Zeitgefühl verändert sich, Bekanntes wirkt fremd. In seiner »Emmentaler Rede« erzählt der Lehrer über die geographischen und historischen Verhältnisse dieser Region, über die Leinenindustrie, aber auch über Fälle von Tierquälerei, Inzucht und Mord. Todesahnungen werden bedrohlich.

(Die römischen Ziffern in Klammern geben das voraussichtliche Erscheinungsquartal an.)

Literarische Titel in den Reihen:

Bibliothek Suhrkamp

Ernst Robert Curtius
Marcel Proust
Neuauflage. BS 28 (IV)

Peter Suhrkamp
Munderloh
Neuauflage. BS 37 (III)

Maxim Gorkij
Erinnerung an Zeitgenossen
Neuauflage. BS 89 (III)

Bernhard Shaw
Wagner-Brevier
BS 337 (III)

Wladimir Majakowskij
Ich
Ein Selbstporträt
BS 354 (III)

Werner Kraft
Spiegelung der Jugend
BS 356 (III)

Miguel Angel Asturias
Legenden aus Guatemala
BS 358 (III)

Bernard Shaw
Kaiser von Amerika
BS 359 (IV)

Bohumil Hrabal
Moritaten und Legenden
BS 360 (III)

Ödön von Horvath
Glaube Liebe Hoffnung
BS 361 (III)

Jean Piaget
Weisheit und Illusionen der
Philosophie
BS 362 (III)

Richard Hughes
Sturmwind auf Jamaika
BS 363 (III)

Wolfgang Hildesheimer
Tynset
Roman
BS 365 (III)

Stanislaw Lem
Robotermärchen
BS 366 (IV)

Hans Mayer
Goethe
Essays
BS 367 (IV)

Günter Eich
Gedichte
Ausgewählt von Ilse Aichinger
BS 368 (IV)

Hermann Hesse
Iris
Ausgewählte Märchen
BS 369 (IV)

Paul Valéry
Eupalinos
Deutsch von Rainer Maria Rilke
BS 370 (IV)

Paul Ludwig Landsberg
Die Erfahrung des Todes
Essay
BS 371 (IV)

edition suhrkamp

Materialien zu Brechts
›Schweyk im zweiten Weltkrieg‹
es 604 (IV)

Paavo Haavikko
Gedichte
es 641 (III)

nichts mehr einfällt. Entschuldige übrigens, daß ich von mir erzähle.

QUITT Ich mag Frauen, die nichts tun als Anweisungen geben.

V. WULLNOW Ich weiß, du hörst gern Geschichten. Ich kenne eine.

QUITT Ist sie lang?

V. WULLNOW Ganz kurz. Ein Kind kommt in ein Geschäft und sagt: »Sechs Brötchen, die BILD-Zeitung und drei Salzstangen!«

QUITT Und weiter?

V. WULLNOW Das ist die Geschichte. *Pause.*

QUITT Sie ist schön.

V. WULLNOW *umarmt ihn plötzlich heftig:* Ich wußte, daß sie dir gefallen würde. O, ich wußte es. Ich scheue mich sonst, jemanden zu berühren, aber diesmal ist es Bedürfnis. *Er zieht Quitt die Manschetten aus der Jacke hervor, nimmt seine Hand.* Schon die ganze Zeit sehe ich diesen schmutzigen Fingernagel – jetzt muß ich ihn dir endlich sauber-machen. *Er reinigt Quitts Nagel mit dem eigenen Nagel, tritt zurück.* Ich weiß nicht, was mit mir ist. Ich bin so erinnerungsselig seit neuem. Erinnerst du dich, wie wir damals als Arbeiter auftraten auf dem Opernball? Mit rotem Halstuch, Ruderleib-chen, bodenscheuen Hosen und Zementabsätzen an den Schuhen? Wie wir den Damen auf die Hacken traten? Wie wir uns zwischen den Beinen kratzten? Alles mit offenem Mund anstierten? Krimsekt bestellten und aus der Flasche tranken?

Und am Schluß die Mützen aus der Stirn schoben
und die Internationale sangen?

QUITT »Krimsekt« ist eine unerlaubte Bezeichnung.
Es muß »Schaumwein von der Krim« heißen.
Pause.
Ja, wir spielten sehr gekonnt, daß wir nur uns selber
spielen konnten.

v. WULLNOW Und jetzt machst du gemeinsame Sache
mit denen?

QUITT Inwiefern?

v. WULLNOW Indem du nur an dich denkst. Die Konzentration von Marktanteilen in deiner Hand gibt
den Systemfeinden, die ja auch unsre Feinde sind,
den willkommenen Anlaß –

LUTZ *unterbricht ihn schnell:* Nicht so. *Zu Quitt:* Ich
denke in letzter Zeit oft an den Tod. Alles, was mir
begegnet, erscheint mir als ein Zeichen. Wenn ich
in der Zeitung lese: »Nächsten Mittwoch Sperrmüll!«, spüre ich sofort: »Der Sperrmüll, das bin
ich.« Kürzlich, als ich einen ländlichen Tabakladen
betrat, sah ich dort eine Todesanzeige angeheftet –
und unter der Todesanzeige lag ein verdreckter,
verschrumpelter Lederhandschuh: der Lederhandschuh, das werde bald ich sein, fuhr es mir sofort
kalt in das Herz.

QUITT Und ich sah kürzlich in einem Hausflur eine
leere Plastiktragetasche mit der Aufschrift »Frische
Hafermastgänse aus Polen«. Hätte das auch ein
Zeichen sein sollen? Ich jedenfalls fühlte mich auf
einmal ungeheuer geborgen, als ich es las.

LUTZ Denkst du denn nie an den Tod?

QUITT Ich kann nicht.

V. WULLNOW *schlägt sich mit der Faust an die Stirn:* Und ich kann nicht mehr! Ich möchte jetzt eine Zeitung aufschlagen und darin das Wort »Arschloch« lesen. Dieses Dickicht. Dieser Morast. Dieser Sumpf. Diese Irrlichter.

Lutz hat ihn mit dem Ellbogen gestoßen, und er besänftigt sich.

Diese Irrlichter über den Sümpfen, wenn wir damals im Herbst nach dem Tanzkurs nach Hause gingen! Wanda in meinem Arm, ich spürte durch die Bluse die Gänsehaut, und ein Fasan schrie im Schlaf, als ich sie küßte – eigentlich ein ekliges Wort: Küssen – wobei sich nur die Rillen unsrer Lippen berührten, fühllos wie abgeschälte Rinde.

Pause.

Ich wollte von der Natur reden: sie erst machte mich selbstbewußt – indem sie mich das Wahrnehmen lehrte. Häuser, Straßen und ich waren nämlich am Anfang ein bloßer Tagtraum, Träumer und Geträumtes in einer gemeinsamen Blase, wo auch der Träumer, hypnotisiert von der immergleichen, an der immergleichen Stelle buckligen Hauswand, im Schlaf verwachsen mit täglich derselben Straßenkurve, sich für Geträumtes hielt. Dunkle Flecken in mir als das einzig Undefinierte. Dann platzte die Blase, und die dunklen Flecken in mir entfalteten sich als die Wälder außerhalb von mir. Da erst fing ich an, auch mich zu definieren: nicht die Zivilisation von Haus und Straße, sondern die Natur machte mich auf mich aufmerksam – indem sie mich auf sich aufmerksam machte. Also: nur durch die Wahrnehmung der Natur, und nicht im halluzinatorischen Einerlei der Zivilisationsgegenstände können wir zu unsrer eigenen Geschichte kommen. Die meisten sind inzwischen freilich so zivilisiert, daß sie das Naturgefühl entweder als Rückzug in die Kinderwelt abtun – obwohl man gerade Kinder immer wieder auf die Natur erst künstlich aufmerksam machen muß – oder, auch wenn sie selber Naturgefühl vorgeben, diese Natur nicht ohne die Fata Morgana der Zivilisation ertragen: im Wald haben sie keinen Sinn für den Wald, erst mit dem Blick vom Fenster eines Terrassenhauses, das sie selber planen, errichten und zum Verkauf anbieten würden, wäre derselbe Wald für sie ein Naturerlebnis. Du wirst mich fragen wollen, was ich damit sagen will.

QUITT Nein.

V. WULLNOW Ich will sagen, daß du mit deinem rücksichtslosen Wachstum unsere Natur zerstörst. Unsere alte Selbstbesinnungslandschaft verwandelst du besinnungslos in Bauland. In unseren Altstädten stehen deine fensterlosen Kaufhäuser wie unentschärfte Bomben. Jeden Tag eine neue Filiale, von der andern nur durch die Steuernummer unterschieden, die du als Reklame für deine Gemeinnützigkeit auch noch als Leuchtschrift vom Dach blinken läßt!

QUITT Eine gute Idee, nicht wahr?

V. WULLNOW Du ruinierst unseren Ruf, indem du dich genauso gebärdest, wie sich der kleine Moritz Volk einen Unternehmer vorstellt.

QUITT Vielleicht ruiniere ich nicht unseren Ruf – sondern euch.

v. WULLNOW Du kennst weder Ehre noch Scham. Die Jauchegrube hinter meinem Landhaus ist zu schade für dich. Mit Löschpapier möchte ich dich ersticken. Ich verfluche dich! Wer deinen Namen vor mir ausspricht, dem greife ich in den Mund und reiße ihm die Zunge heraus, und zwar eigenhändig. Warte, ich trete dir jetzt auf den Fuß. *Er tut es, ohne daß Quitt reagiert. Er bläst die Wangen auf und schlägt sich selber darauf. Er beißt sich in den Handrücken.* Du hast mich enttäuscht, Quitt. Es ist schade um dich, du warst mir der liebste von allen, wir haben so vieles gemeinsam. Ich bewundere dich immer noch. Vor jeder Entscheidung stelle ich mir vor, wie du dich verhalten würdest. *Er schreit.* Ratte! Judas! Für zwanzig Silberlinge –

QUITT Dreißig, heißt es.

v. WULLNOW Zwanzig, sage ich!

QUITT *an Koerber-Kent:* Aber es heißt dreißig, nicht wahr?

KOERBER-KENT Ja, es waren dreißig Silberlinge. Nach neuesten Forschungsergebnissen handelt es sich –

v. WULLNOW *schreiend:* Triebwesen! Atavist!

Lutz legt ihm die Hand auf die Schulter.

Ich habe einmal geträumt, daß wir zusammen alt geworden sind. Täglich sind wir in einem Fiaker durch die Stadt gefahren und haben dabei Skat gespielt. Und jetzt soll das alles ein Traum bleiben? Hören wir auf uns zu bekämpfen, Quitt. Es könnte so schön sein – nur wir vier allein, das heißt fünf, wenn wir Frau Tax mitzählen wollen, und da alle andern inzwischen aufgegeben haben, sind wir einzeln so groß, daß Absprachen gar nicht mehr sein müßten. Die uns jetzt nach der Konferenz in die Mäntel helfen, könnten für uns die Geschäfte führen. Unterbieten wir einander doch nicht mehr.

QUITT Ich unterbiete euch.

v. WULLNOW *brüllt.*

QUITT Hilft es?

v. WULLNOW Mit Nagelschuhen in die Weichteile. Versteh mich doch. Wer bin ich eigentlich im Moment? Chaotiker! Wie gern würde ich dich einfach angähnen. Hast du Brot bei dir?

QUITT Bist du hungrig?

v. WULLNOW Ich möchte nur etwas zum Zerkrümeln zwischen den Fingern haben. Das Gehirn schabt mir gegen die Gehirnschale. Eigentlich ein angenehmes Gefühl! So kreatürlich. *Zu Lutz:* Jetzt sage ich nichts mehr. *Zu Quitt:* Ich habe Lust, mit dir zu tauschen, du Hai. Übrigens ist es Zeit, daß deine Frau wieder einmal an uns vorbeigeht, nicht wahr? Sprich endlich, ich möchte was zum Lachen haben! Lieber Hermann...

Pause.

Er hängt sich in Quitt ein.

Weißt du, daß ich dein Vater sein könnte? Gehen wir miteinander angeln, Väter gehen mit Söhnen immer angeln. Bachaufwärts, vor dem Gewitter. Ich möchte jetzt betrunken sein, um mich an etwas erinnern zu können. *Er hakt sich wieder aus und schreit.* Apropos Bäche! Die zerstörst du mit deinen Plastikmonstern, läßt die Landschaft zuregnen mit Plastikstilleben, auf denen man »umweltfreundlich« liest, wo doch gar keine Umwelt mehr sichtbar wird, höchstens farbenfroher Schimmel auf der Erde, Rußstaub auf einem sich lustig kringelnden Blatt, ein Fischbauch im vital schäumenden Wasser. Weißt du denn, was die Kinder fragen, wenn sie einmal richtige große, reife Tomaten sehen? Ist das Plastik? fragen sie. Und ich erlebte selber ein Kind, das sich im Transeuropaexpreß nicht setzen wollte, weil die Sitze dort nicht aus Plastik waren. Hören wir auf mit dem Wachstum, Hermann – oder beschränken wir es auf Produkte für den Umweltschutz. Da gibt es noch viel zu holen. So könnte alles wie früher sein.

QUITT Ihr habt doch längst schon mit dem Wachstum aufgehört. Außerdem: wie du richtig sagst, werden die verwertbaren Einheiten kleiner. Also kann die Anzahl der Einheiten doch weiter wachsen, nicht wahr? Ich bin jedenfalls keiner, der alles so lassen will wie es ist. Ich kann nichts sehen, ohne es auch verwerten zu wollen. Aus allem möchte ich etwas anderes machen. Und ihr auch! Nur könnt ihr es nicht mehr.

V. WULLNOW *löst sich von Quitt:* Du willst uns nicht verstehen.

QUITT Ich verstehe euch wohl. Du weißt, was es bedeutet, wenn einer von uns menschlich wird oder gar vom Tod redet. Ein Gefühl wird bei uns nach dem ersten Schrecken zur Methode.

75

v. WULLNOW Ich bezeichne dein Verhalten uns gegenüber ja nicht als Verrat – aber als was sonst soll ich es bezeichnen? Als Treulosigkeit? Heimtücke? Unzuverlässigkeit? Falschheit? Hinterfotzigkeit? Illoyalität?

QUITT Das sind alles Ausdrücke für Untergebene. Unter uns Selbständigen würde ich es Geschäftsgebaren nennen.

v. WULLNOW Jetzt sage ich wirklich nichts mehr. Ich stecke nur den Finger in den Hals vor dir. *Tut es und geht, kommt aber sofort zurück.* Dabei hing ich doch an dir. *Er geht und kommt zurück.* Du mit deinem Froschkörper! *Er geht und kommt zurück.* Mein Speichel ist zu schade für dich. Ich spucke ihn höchstens im Mund von hinten nach vorn. *Tut es und geht, kommt noch einmal, außer sich, zieht eine fürchterliche Grimasse und geht endgültig.*

LUTZ *will etwas sagen.*

QUITT Ich weiß, was du sagen willst.

LUTZ Dann sag du es.

QUITT Es ist ja wahr. Ich habe mich nicht an unsre Abmachungen gehalten.

LUTZ Sicher nicht mit Absicht.

QUITT Ich hab sie einfach vergessen, oder?

LUTZ Vielleicht nicht gerade vergessen, aber zu wenig ernst genommen.

QUITT Warum hätte ich sie eigentlich ernst nehmen sollen?

LUTZ *lacht:* Nicht schlecht. Wirklich schön spitzfindig...

Pause.

Entschuldige, ich habe dich unterbrochen. Du wolltest etwas sagen?

QUITT Nein, das war es schon.

LUTZ Verteidige dich doch.

QUITT Beschuldige mich erst einmal.

LUTZ Du mußt sehr unglücklich sein.

QUITT Warum?

LUTZ Nur im Elend kennt man nichts außer sich selber. Ich weiß das von mir.

QUITT Vergleich mich nicht mit dir.

LUTZ Da siehst du's! Für dich gibt es nur dich, nicht einmal verglichen willst du werden. Es muß schlimm um dich stehen.

Er hat die ganze Zeit wie unbewußt mit Daumen und Zeigefinger die Geldzählgeste gemacht. Quitt hält seine Hand fest.

QUITT Nicht wahr, das sind alles nur deine Ausdrücke fürs Handfeste? Du zählst jedenfalls, seitdem du mit mir redest.

LUTZ Also gut. Ich werde jetzt sagen, was ich von dir denke.

QUITT Aber paß auf. Vielleicht denkst du beim Reden dann schon anders.

LUTZ Da ist keine Gefahr. Wenn i ch zu reden anfange, ist alles schon zu Ende gedacht. Ich bin kein Stotterer. *Zu Koerber-Kent:* Er hat auf unsere Kosten seinen Marktanteil vervielfacht. Ich habe nichts gegen seine Methoden, aber er hätte sie mit uns absprechen müssen. Und selbstverständlich habe ich auch etwas gegen seine Methoden: er wirbt uns vom freien Markt die Strafentlassenen weg und verspricht ihnen eine verständnisvolle Umwelt – und das bedeutet dann, daß er sie in einem bestimmten Produktionsbereich ganz unter sich sein läßt und ihnen dort allen gleich wenig bezahlt. Er stellt, wie er selber gerade zugegeben hat, von seinen Produkten immer kleinere Einheiten her, läßt aber die Verpackungsmaße dafür unverändert, so daß die Käufer die gleiche Menge zu kaufen glauben. Auf diese Weise können seine Preise scheinbar gleich bleiben, während wir sie erhöhen müssen. An seinen Arzneimittelfirmen beteiligt er Ärzte, die dann seine Arzneien verschreiben. Bei seinen Produkten für Kinder unterschreitet er jeweils den Taschengeldpreis, auf den wir uns geeinigt hatten, und erzeugt eigens für den Differenzbetrag neue Produkte, die die Kinder natürlich dazukaufen – zwei Sachen fürs gleiche Geld sind in Kinderaugen ja besser als eine. *Zu Quitt:* Mit billigem Material plagiierst du unsre teuersten Produkte. Deine Verfallsdaten gelten nur für Drei-Sterne-Kühlschränke. Deinen »empfohlenen Preisen« stellst du einen Staatsadler voran, damit die Preise amtlich aussehen. Deine Preisschilder sind riesengroß – so glauben die Leute, daß es bei dir billiger ist, auch wenn es mindestens gleich teuer ist wie anderswo. Das Preisgefüge ist erschüttert, Quitt. Wir stehen an einem Totenbett – am Totenbett des alten Preisgedankens, und sind selber fußkrank geworden. Der Schatten deiner Konkurrenz macht uns frösteln. Ich bin noch viel zu ruhig für mein Gefühl. Vielleicht ist das die Windstille vor dem nächsten Vertragseinbruch, in dem ich untergehen werde. Ich sehe schon die Hagelwolken am Himmel, und in Panik legen sich mir die Ohren an den Kopf. Ich habe Angst, Quitt, vor dem großen Sturm, wenn mir der Kapitalmantel fehlt. Dabei versuchte ich, mit Massenentlassungen die Struktur noch zu bereinigen! Quitt, du verdarbst unsre Preise! Auf Vorkriegsniveau hast du sie gedrückt! Alles angeknackst. Jeden Tag ein Produkt weniger. Vorbei die schöne Vielfalt des Marktes. Umsonst die höheren Weihen. Das Ende der stolzen Zahlen. Ich bin ratlos. Ich bin auf die allerbelämmertste Weise ratlos und verzweifelt. *Zu Koerber-Kent:* Ich wurde geboren als das einzige Kind meiner Eltern. Schon meine Geburt war eine Sachentscheidung, meine Mutter starb dabei. Mit vier formte ich aus feuchtem Lehm Geldstücke. Mit sieben pflückte ich Blumen für die Kranken in meiner Umgebung und nahm Geld dafür. In der Schule hieß ich »der Geldzähler«. Ein vernünftiger Junge, sagte mein Vater. Er hat noch eine Ehrfurcht vor den Sachwerten, sagten die Verwandten. Vor der ersten Kommunion sagte der Priester, wenn wir uns nachher etwas wünschten und nur ganz fest daran glaubten, würde es auch erfüllt werden. Den Druck der Hostie noch am Gaumen, ging ich den ganzen Weg nach Hause mit gesenktem Kopf: ich glaubte nämlich mit jeder Zelle meines Körpers daran, die Münze zu finden, die ich mir gewünscht hatte. *Ins Allgemeine.* Seitdem zweifelte ich an der Religion.

Zu Koerber-Kent: Ich blieb aber verständig und wurde immer verständiger. Nichts Sachliches ist ihm fremd, sagten die Menschen von mir. Aber jetzt ist es aus. Aus! Ich will an nichts mehr glauben. Woran soll man sich noch halten, wenn der da unsre Preise zerstört, und damit unser vernünftiges System? Was für eine Zeit ist das? Was gilt eigentlich noch? Ich will endlich auch sachfremd sein können!
Pause.
Ich träumte, daß ich lief und lief, damit mir ein Riesengeldschein auf der Brust nicht herunterfiel. So wie ich jetzt rede und rede. Ich möchte den Kopf in eine Waschschüssel tunken und mich ertränken.
Ab.

Koerber-Kent will ihm nachgehen, kehrt aber wieder um. Quitt geht auf und ab.
KOERBER-KENT *mit gesenktem Kopf:* Ich beneide Sie nicht, Quitt. Ich könnte Ihnen ja auch von mir erzählen wie die andern, aber das ist nicht meine Art. Ich rede nie von mir. Ich bin stolz darauf, daß ich aus meinen Überlegungen schon lange gestrichen bin. Ich bin nicht neugierig auf den Dreck in meinem Nabel und freue mich, daß ich verwechselbar bin.
Pause.
Ich habe Mitleid mit Ihnen, Quitt. Und ich habe Angst um Sie. Vor kurzem sah ich eine Zeichnung, die ein Maler vom Gesicht seiner sterbenden Frau

gemacht hatte: im Fieber war die Pupille schon fast ausgeblichen, und auch die Regenbogenhaut war sehr hell geworden. Nur ein dunkler Randkreis grenzte sie noch von dem weißen Augenkörper ringsherum ab, und die Sterbensfliehkraft hatte den Kreis noch verdickt. Es war, als ob dem Betrachter diese Augen entgegenseufzten. Aus einem sterblichen Sehloch hat also der Stift des Zeichners einen unsterblichen Seufzersee gestrichelt, wie ich es bei mir genannt habe. Und am Morgen des folgenden Tages soll die Frau ja auch wirklich gestorben sein.
Hinter der Bühne ein Knall.
Was war das?

QUITT Hans ist bei der Arbeit. Im Flaschenentkorken ist er nicht gut. Wenn er die Kochweinflaschen öffnet, gibt es fast immer einen Knall.
Pause.

KOERBER-KENT Haben Sie denn keine Angst zu sterben?
Er hebt den Kopf und will Quitt fixieren – der steht aber gerade hinter ihm.

QUITT Hier.

KOERBER-KENT *dreht sich um:* Schieben Sie nicht auch manchmal alles schnell von sich weg vor Todesangst?
Quitt entfernt sich von ihm und bleibt mit dem Rücken zu ihm stehen. Koerber-Kent neigt wieder den Kopf und schließt die Augen.
Jemand erzählte mir einmal, wie er träumte, zu sterben. Er saß auf einem Schlitten und sagte noch selber: Ich sterbe. Dann war er tot, und irgendein-

mal wurde der Sargdeckel über ihn gelegt. Und da erst bekam er es mit der Todesangst, er wollte nicht begraben werden. Er wachte auf, sein Herz schlug wie losgerissen. Er war übrigens sehr krank, der Traum wollte ihn töten. Todesursache: ein Traum, hätte man sagen können. *Sehr laut.* Sie sehen, der Tod im Schlaf ist überhaupt nicht friedlich, sondern vielleicht der allerschrecklichste.

Quitt ist inzwischen weiter wie abwesend herumgegangen und steht vor ihm.

QUITT *leise:* So?

KOERBER-KENT *schrickt auf. Er schaut ihn jetzt an:* Aus anderen Erzählungen weiß ich –

Deutlich wird hinter der Bühne ein Schlüssel umgedreht und eine Türklinke gedrückt.

– daß der Sterbende immer wieder wegschaut, wenn er etwas Bestimmtes erblickt, als ob er dadurch den Tod noch hinauszögern könnte... *Er horcht.* Es ist doch gerade eine Klinke gedrückt worden, nicht wahr? Warum höre ich denn keine Tür aufgehen?

Pause.

Ich selber saß einmal beim Essen jemandem gegenüber. Plötzlich fing er an, den Tisch zu ordnen: legte das Besteck parallel, wischte mit der Serviette den Glasrand ab, schob die Serviette in den Silberring. Dann fiel er tot um.

QUITT *zerstreut:* Wieso fiel das Brot um?

KOERBER-KENT Er fiel tot um, sagte ich. *Mit Angst.* Auch Sie fürchten sich davor!

QUITT *abwesend über seine Hose kratzend:* Verdammt, in der Reinigung ist der Fleck auch nicht herausgegangen. Ja? Ich höre.

KOERBER-KENT Er lächelte vorher noch — *deutlich hörbar zwei, drei Schritte hinter der Bühne* — aber in seiner Todesangst entblößte er die untere Zahnreihe statt wie üblich die obere. Nichts gegen einen toten Zwerg zum Beispiel, das ist ja beinahe noch ein pflanzlicher Vorgang. Aber ein ausgewachsener Toter, stellen Sie sich das vor! Es ist monströs. *Er lauscht.* Warum geht er denn nicht weiter? Da ist doch gerade jemand gegangen?

QUITT Mir wachsen wieder die Kinderpausbacken, wenn ich Ihnen zuhöre. Gehen Sie mir mit Ihrer Todesangst – im Moment erscheint mir alles denkbar und zugleich alles gleichgültig.

KOERBER-KENT Wie bitte?

QUITT Sicher hat nur der Boden geknackt.

Paula erscheint, mit Kleid und einem Schleier vor dem Gesicht. Quitt zieht bei ihrem Anblick den Reißverschluß seiner Hose langsam hinunter und wieder hinauf. Hinter der Bühne scheppert laut ein Deckel auf einer harten Unterlage.

KOERBER-KENT Wie gesagt, ich habe einen Blick für Gezeichnete. *Er zeigt auf Quitt.* Es ist jene schmale Linie auf der Oberlippe... *Er bemerkt Paula.* Sie! Gut, daß Sie da sind. Vielleicht können Sie ihn... *Er sucht das Wort.* Wie sagt man?

QUITT Beglückwünschen?

KOERBER-KENT Nein.

QUITT Beknien?

83

KOERBER-KENT So ähnlich ... Nein.

QUITT Zwischen die Knie nehmen?

KOERBER-KENT *panisch:* O Gott, was ist geschehen, ich finde das Wort nicht mehr, ich finde das Wort nicht mehr. Was hat man mit mir vor? Komm herab, Sonnenfinsternis! Schlag aus der Erde, Höllenfeuer!

Quitt geht zu Paula und flüstert ihr ins Ohr.

PAULA *laut:* »Todesangst«? *Zu Koerber-Kent:* Todesangst wollen Sie ihm machen? Warum? Glauben Sie, daß er uns den Markt dann wieder freigibt?

KOERBER-KENT *schreit:* Ich kenne mich aus. Ich habe im Schützengraben schon viele sterben sehen!

QUITT *seufzt.*

KOERBER-KENT *sofort normal:* Halte ich Sie auf?

QUITT Nicht doch.

KOERBER-KENT *schreit:* Ich kann Zeichen lesen. Ich weiß, warum Sie sich mit heraufgezogenen Schultern bewegen. Aber bald wirst du auch so die nötige Todesschwere haben, Hermann Quitt. Und wenn du noch so mit den Armen schlenkerst und kreuz und quer trippelst! *Er geht rückwärts hinaus.*Du wirst dir den Moment nicht einmal vorstellen können. Es wird nur ruckhafte, tierisch angstvolle Vorwegnahmen geben. Nicht einmal mehr zu schlucken wagen wirst du vor Angst, und der Speichel wird dir im Mund sauer werden. Dein Tod wird über jede Vorstellung grauenhaft sein, mit gellenden Schreien. Ich weiß, wovon ich rede. Mit gellenden Schreien.

Ab.

84

QUITT Er hatte seinen Auftritt. Und welche Szene willst du mir jetzt machen?

PAULA Keine. Ich liebe dich, immer noch.

QUITT Davon kann ich mir nichts kaufen.

PAULA Du bist so künstlich. Für einen fertigen Satz gibst du jetzt die Wahrheit preis.

QUITT Außerdem habe ich dir keinen Anlaß dazu gegeben.

Pause.

Ich muß mich erst wieder an dich gewöhnen.

Er schaut sie von oben bis unten an.

PAULA Ich bin nicht so eine.

QUITT Wer ist schon so eine?

Pause.

Ich bin müde. Wenn ich einen Schritt mache, habe ich das Gefühl, mein wirklicher Körper bleibt hinter mir zurück. Ich brauche dich nicht. Als ich dich sah, freute ich mich ja, wurde aber auch ein bißchen unlustig. Das nahm ich als Zeichen, daß die ganze Lust auf dich vorbei ist.

Sie lacht. Er schaut ihr nachsichtig zu, bis sie fertig ist.

PAULA Was du sagst, soll mich kränken. Aber die Stimme, die ich dabei höre, schmeichelt mir.

QUITT Du hast dich verändert. Du bist so außer Atem. Bevor du Gefühle zeigtest, warst du viel selbstbewußter. Warum kann das jetzt nicht so sein? Hör auf, die demütige Frau zu spielen. Wann willst du an mich verkaufen? Nur wenn du über Geschäfte redest, reizt du mich zum Anfassen. Der Kopf tut mir weh. In Hosen gefällst du mir übrigens besser.

PAULA Mir tut dein Kopf auch weh, und überhaupt
dein Leben ...

Quitt klopft sie auf den Arm.

Du tätschelst mich wie ein Dirigent, der abklopft ...

Sie streichelt ihn.

QUITT Dein Streicheln kitzelt mich.

PAULA Ja, weil du es nicht genießen willst.

*Quitts Frau kommt herein. Sie trägt das gleiche
Kleid wie Paula. Sie bemerkt es, stockt und geht
wieder.*

PAULA Jetzt streichle mich auch.

Quitt streichelt sie und entfernt sich.

PAULA Das war eine Bewegung zu wenig.

Quitt kommt zurück und streichelt sie noch einmal.

PAULA O ja.

Pause.

Erzähl mir von dir.

QUITT *lebhaft:* Vor ein paar Tagen hatte ich großen
Durst.

Pause.

Das fiel mir gerade ein.

PAULA Schau mich an, bitte.

QUITT Ich mag dich nicht ansehen.

PAULA Wie bin ich denn?

QUITT Unverändert.

PAULA Bevor ich dich näher kannte, hielt ich dich für
gefühllos und ausgekocht. Ich hörte einmal, wie du
von mir sagtest: Die Brünette da, wie von einer
Hure.

86

QUITT Solche Geschichten erzählt man sich nachher immer. Nimmst du mein Kaufangebot an, ja oder nein?

Sie legt ihm die Hand auf die Schulter. Plötzlich würgt sie ihn. Er läßt es lange geschehen, dann schüttelt er sie ab.

Quitts Frau ist in einem andern Kleid zurückgekommen. Sie schaut zu, kichert lautlos, steckt sich den Daumen in den Mund. Quitt setzt sich in den Liegestuhl und neigt den Kopf. Paula hockt sich hin und will seinen Kopf in die Hände nehmen. Er versetzt ihr einen Fußtritt. Sie fällt hin und steht mit einem Trällern auf. Er stößt sie wieder um. Sie steht trällernd auf. Er will sie noch einmal umstoßen, aber sie weicht mit einem Trällern aus.

QUITT Deine schmierige Zunge. Deine lächerlichen Hüftknochen.

PAULA *hebt das Kleid:* Schau, wie mein Schenkel zuckt. Kannst du es sehen? Komm doch näher.

QUITT *grunzt.*

PAULA Komm doch.

QUITT *legt die Hand auf ihren Schenkel.*

PAULA *schmiegt den Kopf an ihn.*

Pause.

QUITT So, und jetzt verschwinde. *Er tritt zurück.*

Pause.

Der Speichel in deinem Mund wird gleich überrinnen. Und wie deine Augäpfel rucken!

Er wendet sich ab.

Pause.

PAULA Ich gehe ja schon. Es nützt doch nichts. Ich werde also verkaufen.

QUITT *schaut sie an:* Und das Kleingedruckte bestimme ich.

PAULA Versprich mir nur, nicht gleich hinter mir aufzuräumen, wenn ich draußen bin.

QUITT Kauf dir einen Hut, das tröstet.

PAULA Jetzt weiß ich, warum ich dich mag. Ich kann so schön an andres denken, während du redest.

QUITT Morgen um diese Zeit ist es schon heller. Oder dunkler. Vielleicht tröstet dich das auch.

PAULA *umarmt plötzlich Quitts Frau, löst sich und wirft Quitt im Hinausgehen ernst und freundlich eine Kußhand zu:* No hard feelings...

QUITT *wirft den Hocker nach ihr.*

Paula ab.

Quitts Frau kommt näher. Sie stehen einander gegenüber, ohne zu reden. Nach einiger Zeit verändert sich das Licht auf der Bühne. Zuerst Sonnenschein, dann ziehen Wolkenschatten über die beiden. Zikadenzirpen. Weit weg Hundegebell. Das Meeresrauschen. Ein Kind schreit etwas im Wind. Ferne Sonntagsglocken.

Wolliger Baumsamen weht über die Bühne. Die beiden als Umrisse in der Dämmerung vor den gerade angehenden Lichtern der Stadt. Ein Flugzeuggeräusch, sehr nah, das langsam leiser wird — wobei auch die alte Bühnenbeleuchtung zurückkehrt.

Stille.

FRAU *flüsternd, wie um nicht zu stören:* Du siehst so unnahbar aus. So würdevoll und unnahbar.

QUITT Das macht die Erinnerung. Ich gin gerade am Erinnern.

Er setzt sich auf den Liegestuhl. Sie tritt näher. Er berührt sie leicht mit dem Fuß.

FRAU Ja?

QUITT Nichts, nichts.

Er lehnt sich zurück und schließt die Augen.

FRAU *seufzt:* Ach.

QUITT *im Selbstgespräch:* Daß es kracht und splittert...

FRAU Was wirst du tun?

QUITT *im Selbstgespräch:* Aufhören. Vernichten. *Er schaut sie an.* Seltsam: wenn ich dich anschaue, bekomme ich einen Gedankensprung.

FRAU Ich möchte auch einmal von mir sprechen.

QUITT Schon wieder?

FRAU Hörst du mir denn zu?

QUITT Während du das fragst, hättest du schon längst von dir sprechen können. Du hast dir die Haare gewaschen?

FRAU Ja, aber nicht für dich. Es geht mir schlecht.

QUITT Dann schrei um Hilfe.

FRAU Wenn ich um Hilfe schreie, erzählst du als Antwort eine Geschichte, wie du selber einmal Hilfe brauchtest.

Pause.

Sie lacht ein paarmal hintereinander wie über eine komische Vorstellung.

QUITT *reagiert nicht.*

FRAU Hilfe!

QUITT Du mußt mindestens zweimal rufen.

FRAU Ich kann nicht mehr.

QUITT *steht auf:* Dann mach dich ungeschehen.
Er dreht sich weg.

FRAU *putzt ihm mechanisch hinten die Schuppen ab:* Du hast etwas vor. Ich darf dich nicht zu lange anschauen, sonst weiß ich es.

QUITT Was willst du? Ich habe ein rosiges Gesicht, mein Körper ist warm, der Puls achtzig.
Pause.

FRAU Meine Augen brennen. Vor Traurigkeit habe ich zu zwinkern vergessen.

QUITT Was gibt es heute zu essen?

FRAU Getrüffeltes Kalbsfilet.

QUITT Soso. Naja. Interessant. Was gibt es heute zu essen?

FRAU Danach hast du doch gerade gefragt. Warum bist du so zerstreut?

QUITT *im Selbstgespräch:* Weil alle Möglichkeiten bis auf die letzte ausprobiert sind, und die sich nicht wieder in ein bloßes Gedankenspiel zurückverwandeln soll! Natürlich, getrüffeltes Kalbsfilet, du sagtest es ja – jetzt höre ich es erst. Warum ich so zerstreut bin? Ich muß dir etwas sagen, meine Liebe.
Pause.
Sie schaut ihn an.

FRAU Nein, bitte sprich es nicht aus.
Sie weicht zurück.

QUITT Ich muß es aber jemandem sagen.

FRAU *weicht zurück und hält sich die Ohren zu:* Ich will es nicht hören.

QUITT *folgt ihr:* Gleich wirst du es wissen.

FRAU Nicht sagen, bitte nicht sagen.

Sie läuft weg, und er geht ihr nach.

Stille.

Pause.

Sie kommt rückwärts langsam herein und geht langsam wieder ab, ohne daß man ihr Gesicht sieht.

Kilb stürmt herein. Hinter ihm erscheint Hans mit einer Kochmütze. Kilb hält das Messer und läuft hin und her.

KILB Sie müssen jetzt sterben. Es nützt nichts. Ich bin allein. Niemand bezahlt mich. Auch die nicht. Es ist unser letzter Ausweg. Keine Widerrede. *Er merkt, daß niemand da ist, und steckt das Messer wieder ein.* Er ist gar nicht da! Und dabei habe ich es so geprobt. Herein und gleich auf ihn. Eins, zwei. Ein Bild ohne Worte, nur Gedankenstriche darunter.

HANS Sie müssen es wieder versuchen.

KILB Dazu muß ich mich noch einmal konzentrieren. Lassen Sie mich allein.

HANS Aber vorher schauen Sie mich noch an: das bin jetzt nämlich wirklich ich. Früher sagte man oft von mir: der frißt alles in sich hinein, aber eines Tages wird ihm der Kragen platzen, und kein Stein wird auf dem andern bleiben. Der Moment ist da. Ich gehe also und werde das Filet besonders zärtlich

braten, in Gedanken, daß es für mich selber übrigbleiben wird.
Schon früh las mir jemand aus der Hand
ich sei imstand
die Welt zu verändern.
Hiermit gebe ich die Änderung der Welt bekannt.
Ab.

Kilb konzentriert sich, stellt den Hocker auf, schließt sacht den Klavierdeckel, ordnet, was zu ordnen ist. Quitt kommt zurück.

KILB Noch nicht!

QUITT Sie schon wieder.

KILB Wir haben uns doch lange nicht mehr gesehen.

QUITT Nicht lange genug. Vor kurzem fiel mir ein Fehler ein, den ich einmal gemacht hatte. Ich erinnerte mich nicht, was für ein Fehler es war – ich war mir aber sofort sicher, daß es ein unwichtiger Fehler war. Später erinnerte ich mich genauer: es war doch ein wichtiger Fehler. Er war mir nur im Umgang mit Ihnen passiert.

KILB Bitte so bleiben.

Pause.

QUITT Kilb, ich freue mich, daß Sie gekommen sind. Und beachten Sie, daß ich »Ich freue mich« sage und nicht »Es freut mich«.

KILB Jetzt bitte nicht zu freundlich werden.

Pause.

Quitt schaut ihn lange an.

KILB Warum schauen Sie mich an?

QUITT Ich bin nur zu müde, woanders hinzuschauen.

92

Setzen Sie sich wenigstens, damit ich nicht noch müder werde.

Er zeigt auf den Liegestuhl.

KILB Nein, der hat mir eine zu tiefe Mulde, da findet man nicht mehr heraus.

QUITT *setzt sich hinein.*

KILB Besonders wenn einem die Hände in den Hosentaschen stecken wie Ihnen. Ich halte in Gefahrenmomenten immer die Hände aus den Taschen.

QUITT Kilb, es ist nichts mehr möglich. Ich habe das Gefühl, der einzig Übriggebliebene zu sein, und daß es außer mir nichts mehr gibt, ist unappetitlich. Wenn es dafür wenigstens eine appetitliche Erklärung gäbe – aber mein Selbstbewußtsein ist das Bewußtsein von einem Haufen Unrat in einem unendlichen leeren Raum. Stellen Sie sich vor: das Telefon läutet nicht mehr, der Briefträger kommt nicht, die Straßengeräusche haben aufgehört, nur der Wind saust einen Traum weiter weg – die Welt ist schon untergegangen, ich allein weiß noch nichts von der Katastrophe. Ich bin eigentlich nur noch meine Phantomgestalt. Was ich sehe, sind die Nachbilder, was ich denke, die Nachgedanken. Eine Haarsträhne legt sich auf meinem Kopf um, und ich erschrecke zu Tode. Der nächste Moment wird der letzte sein, und die Unzeit wird anbrechen. Gerade hat es an meiner Stelle noch eine Blase gegeben, und jetzt nicht mehr. Ich weiß, daß meine Zeit vorbei ist. Du hattest recht, Paula.

KILB Sehr richtig. Sie sind anachronistisch, Herr Quitt.

QUITT Still. Nur ich darf das sagen. *Er läßt einen kleinen Ball hüpfen.* Es kommt die Zeit der Begriffsmaschinen, und es wird nichts Unbedachtes mehr geben. Auch die Fehlleistungen aus dem Unterbewußtsein sind ja schon eine Methode des Managements. Selbst die Träume träumen sich von vornherein so, daß sie auslegbar sind. Ich träume zum Beispiel überhaupt nichts Sprachloses mehr, und die Bilder dazu laufen so logisch ab wie ein Tageslauf nach dem Terminkalender. Am Morgen wache ich auf und kann mich nicht bewegen von all den Reden, die ich im Traum geführt habe. Es gibt kein »Und auf einmal« mehr wie in den Träumen von früher. *Der Ball entkommt ihm und läuft weg.* Oh schade... Es ist die Zeit der Sachzwänge, der Prioritäten, der Dringlichkeitsstufen für die Bedürfnisse. *Er lacht.* Auch ich funktioniere gerade als Begriffsklauber. *Er steht auf. Kilb hat sich genähert.* Die Mulde ist wirklich zu tief. Wenn ich an mich in festen Begriffen denke, bekomme ich vor mir einen Ekel nach dem andern. Dieser Unternehmer mit seinem Stecktuch und dem englischen Kammgarnanzug voll Weltschmerzstimmung unterwegs im Privatflugzeug, aus dessen Düsen der Ruß auf die Arbeitersiedlungen fällt, bei Orgelmusik alter Meister aus den Bordlautsprechern – aufhören, abschaffen, eine Bombe drauf, logisch. Aber: jedem logischen S c h l u ß widerspricht bei mir sofort das allerunschlüssigste und doch allerselbstsicherste G e f ü h l.

KILB Logisch. Sie wollen ja weiterleben.

94

QUITT Der kleine Mann macht sich wichtig.

KILB Warum eigentlich nicht? Was bleibt dem kleinen Mann sonst übrig?

QUITT Sie haben recht. Warum eigentlich nicht. Ein gutes Stichwort. Ich stecke immer noch tief in meiner Rolle. Schadenfroh gehe ich beim Arzt an dem überfüllten Raum mit den Kassenpatienten vorbei, schaue weg, wenn im Speisewagen ein Fremder vor meinem Tisch stehenbleibt. Warum eigentlich? Kaum einer sieht so aus, als ob er noch aus der Rolle fallen könnte. Ich ging einmal auf der Straße und merkte plötzlich, daß ich mit meinem Gesicht nichts mehr zu tun hatte...

KILB Die alte Geschichte mit den Masken.

QUITT Ja, aber jetzt erzählt ein Betroffener davon. Außen hielten die Muskeln eine tote Haut fest, dann folgte eine taube Schicht nach der andern, nur im tiefsten Innern, wo ich hätte sein sollen, zuckte es noch ein wenig und war noch ein bißchen feucht von mir. Eine Straßenbahn mußte mich überfahren, sofort! – erst dann würde ich aufhören, ein Gesicht zu machen. Nicht erst mein wahres Gesicht zeigen, wenn ich der Straßenbahn schon nicht mehr ausweichen kann, dachte ich. Aber diese tote Haut, das war schon mein wahres Gesicht.

KILB Das sind Geschichten. Wo bleibt der Zusammenhang?

QUITT Im voraus weiß ich nichts von mir. Erst mit dem Erzählen fallen mir meine Erfahrungen ein. Daraus ergibt sich von allein der Zusammenhang.

Ich werde Ihnen jetzt erzählen, was für mich die Hölle ist: die Hölle, das ist für mich das sogenannte Preiswerte, das Billige. In einer dunklen Stunde verirrte ich mich in ein Restaurant mit den gleichen Speisen auf der Karte wie dort, wo Leute wie ich sonst hingehen, nur halb so teuer – aber das waren nicht die gleichen Speisen: das Fleisch tiefgefroren in die Pfanne und totgebraten, die Kartoffeln vom Wochenanfang vorausgekocht, das Gemüse etwas Umgestürztes in Konservenflüssigkeit, die Papierserviette verbraucht nach dem ersten Mundabwischen, als Zugabe das elektrisch geladene Tischtuch, an dem sich meine Fingerhaare aufrichteten. Eng an den Tisch gedrückt, weil neben und hinter mir noch andere saßen, einziger Ausblick die Butzenscheiben, vor denen die Topfblumen in der Zentralheizungsluft schwappten. Nur ein Leben im Luxus ist keine Strafe, dachte ich. Nur der äußerste Luxus ist menschenwürdig, das Preiswerte ist das Unmenschliche.

KILB Deswegen sind Ihre Produkte die preiswertesten.

QUITT Was kostet Ihre Antwort? Darf es denn noch einmal um mich gehen statt um meine Produkte? Um den übergeschwappten Tropfen, den gleich ein haariger Rüssel aufsaugen wird? Ich, das ist das, vor dem ich kopfscheu bin, von dem ich bis dahin genug habe, und das mir trotzdem immer auf der Zunge liegt – etwas so Seltenes und Lächerliches wie ein lebender Maulwurf. Warum muß ich einer bestimmten Klasse angehören, um von mir erzählen zu dürfen? Ich fühle mich von allen Seiten betrachtet wie das abgestorbene wilde Fleisch um eine längst vergangene Wunde und tanze doch innerlich vor Selbstbewußtsein. Ja, innerlich tanze ich! Einmal saß ich verstört in der Sonne. Die Sonne beschien mich, ohne daß ich es spürte, und ich fühlte mich tatsächlich als ein Umriß von ersticktem Nichts in dem Luftraum ringsherum. Aber auch das war noch ich, ich, ich. Ich war verzweifelt, konnte weder vor noch zurückdenken – hatte kein Geschichtsgefühl mehr. Jede Erinnerung kam vereinzelt und unharmonisch wie die Erinnerung an einen Geschlechtsakt. Diese wehe Empfindungslosigkeit, das war ich, und ich, das war nicht nur ich, sondern auch eine Eigenschaft der Welt. Natürlich, ich fragte nach den Bedingungen. Warum? Warum dieser Zustand, diese Zustände – warum keine Geschichte, sondern Zustände? Aber alle bedingten Bedürfnisse waren erfüllt. Es half kein »Warum« mehr. Nur noch die unbedingten Bedürfnisse waren übrig. »Mir ist langweilig«, sagte einmal ein Kind. »Dann spiel was. Mal was. Lies was. Tu was«, wurde ihm gesagt. »Kann ich nicht, mir ist doch langweilig«, sagte es. *Er holt die ganze Zeit Sachen aus seinen Taschen, schaut sie an und steckt sie wieder weg.* Ich will von mir ohne Kategorien sprechen. Ich will bitte nichts mehr bedeuten, nicht mehr eine Person der Handlung sein. In einer Maiennacht erfrieren. Sehen Sie, das sind Fotos von mir: auf allen sehe ich fröhlich aus und war es doch nie. Kennen Sie das Gefühl, wenn man eine Hose verkehrt angezogen hat? Einmal war ich glücklich: Als ich jemanden in einem Mietshaus besuchte und in einer langen Gesprächspause aus der Nachbarwohnung die Klospülung rauschen hörte. Ich wurde musikalisch vor Glück! Oh mein Neid auf eure verdösten Nachmittage in den Mietshäusern mit dem geheimnisvollen Gurgeln in den Klosettmuscheln! Das sind die Orte, nach denen ich mich sehne: die Hochhäuser am Stadtrand mit den beleuchteten Telefonzellen in der Nacht. In ein Flughafenhotel gehen und sich dort einfach aufheben lassen. Warum gibt es keine Entpersonifizierungsanstalten? Wie schön war es doch früher, eine neue Schuhpastadose aufzumachen! Und ich konnte mir auch noch vorstellen, ein Sandwich mit Schinken zu kaufen, Friedhöfe zu besichtigen, mit jemandem was gemeinsam zu haben. Manchmal gab eins beschwingt das andre – das war dann das Lebensgefühl! Jetzt bin ich nur noch schwer und wund und plump von mir selber. *Er boxt sich beim Reden unters Kinn, tritt sich gegen die Wade.* Ein falscher Atemzug, und ich zerfalle. Wissen Sie, daß ich Stimmen höre? Aber es sind nicht die Stimmen, die die Irren hören: keine religiösen Floskeln, oder aus der Schulzeit aufstoßende Poesien, oder Ein-Satz-Philosophien, überhaupt keine von den überlieferten Weltformeln – sondern Filmtitel, Schlagerzeilen, Werbesprüche. »Regentropfen, die an mein Fenster klopfen«, flüstert es oft mit Hall in meinem Kopf, und mitten in einer Umarmung unterbricht mich eine Stimme mit

»Rat mal, wer zum Essen kommt« oder »Raucher, hier kannst du nicht rauchen...« Und ich bin sicher, daß in Zukunft auch unsre Wahnsinnigen nur noch solche Stimmen werden hören müssen, und nicht mehr »Erkenne dich selber« oder »Du sollst Vater und Mutter ehren...«, die Über-Ich-Stimmen unsrer Hochkultur. Während die einen Monster entzaubert werden, rülpsen vor dem Fenster schon die nächsten. *Kilb will etwas sagen.* Nein, jetzt rede ich. Bleiben Sie doch stehen. Spucke ich denn beim Sprechen? Ja, ich fühle die Speichelblasen auf den Zähnen. Aber meine Sprechzeit ist noch nicht abgelaufen. Hoffentlich bricht kein Weltkrieg aus, bevor mein neuer Anzug fertig ist, dachte ich früher oft. Indem ich rede, will ich die Bewußtseinsübertragung, jetzt, bevor Sie mit mir fertig sind. Zu lange haben meine Lippen einander lustlos zugehalten. *Er umarmt Kilb plötzlich und hält ihn fest.* Warum spreche ich eigentlich so fließend? Dabei habe ich doch das Bedürfnis zu stottern. *Er krümmt sich und drückt Kilb dadurch fester. Kilb windet sich.* Ich...möchte s...tottern... Und warum sehe ich alles so scharf? Ich will die Fußbodenmaserung nicht so genau sehen. Ich möchte kurzsichtig sein. Ich möchte zittern. Warum zittere ich nicht? Warum stottere ich nicht? *Er krümmt sich heftig, und Kilb windet sich.* Ich wollte einmal schlafen. Aber der Raum war so groß. Wo ich mich hinlegte, entstanden schlaflose Stellen. Der Raum war zu groß für mich allein. Wo ist die Schlafstelle hier? Warum schlafe ich nicht? Kleiner! Kleiner!

Er krümmt sich so stark, daß Kilb stöhnt. Er krümmt sich noch stärker, und das Stöhnen hört auf. Kilb fällt zu Boden und bewegt sich nicht mehr. Quitt verschränkt die Arme.
Pause.
Ich rieche das Parfum, nach dem er roch.
Pause.
Mein Hemd ist zerrissen. Wie schön! So lange habe ich es also schon getragen, daß es brüchig geworden ist.
Pause.
Das Gehirn, ist es fest, flüssig oder gasförmig?

Lange Pause. Er rennt mit dem Kopf gegen den Felsquader. Er steht wieder auf und rennt noch einmal gegen den Felsen. Nach einiger Zeit richtet er sich auf und rennt wieder gegen den Felsen. Noch einmal steht er auf und rennt gegen den Felsen. Dann bleibt er liegen. Das Bühnenlicht ist erloschen. Nur der Trog mit dem aufgegangenen Teig, der schmelzende Eisblock, der fast verschrumpelte Ballon und der Felsen sind beleuchtet. Eine Obstkiste kollert wie über mehrere Stufen herunter und bleibt vor dem Felsen liegen. Hinter dem Felsen hervor rollt ein langer grauer Teppich aus. In der Obstkiste und auf dem ausgerollten Teppich bewegen sich Schlangen.

geschrieben im Winter und Frühling 1973

Zeittafel

1942 in Griffen/Kärnten geboren.

1944-1948 lebt er in Berlin. Dann Volksschule in Griffen.

1954-1959 als Internatsschüler Besuch des humanistischen Gymnasiums. Die letzten zwei Jahre in Klagenfurt.

1961-1965 Studium der Rechtswissenschaften in Graz.

1963-1964 *Die Hornissen* (Graz, Krk/Jugoslawien, Kärnten).

1964-1965 *Sprechstücke* (Graz). Umzug nach Düsseldorf.

1963-1966 *Begrüßung des Aufsichtsrats* (Graz, Düsseldorf).

1965-1966 *Der Hausierer* (Graz, Düsseldorf).

1967 *Kaspar* (Düsseldorf).

1968 *Das Mündel will Vormund sein* (Düsseldorf).

1965-1968 *Die Innenwelt der Außenwelt der Innenwelt* (Graz, Düsseldorf). Umzug nach Berlin.

1969 *Die Angst des Tormanns beim Elfmeter* (Berlin).
Quodlibet (Berlin, Basel).
Umzug nach Paris.

1968-1970 *Hörspiele* (Düsseldorf, Berlin, Paris).

1970 *Chronik der laufenden Ereignisse* (Paris).
Der Ritt über den Bodensee (Paris).

1971 *Der kurze Brief zum langen Abschied* (Köln).

1972 *Wunschloses Unglück* (Kronberg).

1973 *Die Unvernünftigen sterben aus* (Kronberg).

Ich bin ein Bewohner des Elfenbeinturms. *Aufsätze*
suhrkamp taschenbuch 56
Stücke 2
suhrkamp taschenbuch 101
Die Unvernünftigen sterben aus
suhrkamp taschenbuch 168

Über Peter Handke

Herausgegeben von Michael Scharang
edition suhrkamp 518

Der Band enthält neben zahlreichen Rezensionen zu allen Werken von Peter Handke folgende Beiträge:

Michael Springer, Im Internat
Peter Laemmle, Literarischer Positivismus: Die verdinglichte Außenwelt
Hilde Rubinstein, A propos Handke . . .
Klaus Hoffer, »Allgemeine Betrachtungen« (zu Handkes ›kurzem Brief‹)
Jörg Zeller, Handkes Stellung zur Sprache
lutz holzinger, handkes hörspiele
Heinz Ludwig Arnold, Innovation und Irritation als Prinzip. Zu Peter Handkes »Kaspar«
Mechthild Blanke, Zu Handkes »Kaspar«
Herbert Gamper, Bemerkungen zum Stück »Der Ritt über den Bodensee«
Peter Hamm/Peter Handke, Der neueste Fall von deutscher Innerlichkeit
Stellungnahmen junger österreichischer Autoren zu Peter Handke (Peter Matejka, Manfred Chobot, Hans Trummer)
Wolfgang Werth, Handke von Handke
Ernst Wendt, Handke 1966-71

Der Band wird beschlossen durch eine umfangreiche »Peter-Handke-Bibliographie« von Harald Müller.

st 134 Theodor W. Adorno, Zur Dialektik des
Engagements
Aufsätze zur Literatur des 20. Jahrhunderts II
208 Seiten
Während der erste Band der *Aufsätze zur Literatur des
20. Jahrhunderts* (st 72) Adornos Auseinandersetzungen
mit dem sogenannten Absurdismus dokumentierte, so
sammelt der zweite Band Aufsätze zu politischen As-
pekten der heutigen Literatur. Auf die programmatische
Auseinandersetzung mit Sartre und seiner Konzeption
einer engagierten Literatur folgt die Beschäftigung mit
Valéry, gewissermaßen dem Gegenbild des »engagierten«
Schriftstellers, mit der ästhetizistischen Utopie von Stefan
George und Hugo von Hofmannsthal, mit der Lyrik von
Rudolf Borchardt, mit dem Werk von Thomas Mann,
mit dem Utopisten Aldous Huxley. Der Band schließt
mit dem berühmten offenen Brief an Rolf Hochhuth.

st 135 Wer ist das eigentlich – Gott?
Essays
Herausgegeben von Hans Jürgen Schultz
304 Seiten
Die Frage »Wer ist das eigentlich – Gott?« stammt von
Kurt Tucholsky. Nicht ironisch oder polemisch wird sie
heute formuliert, sondern neugierig und interessiert. Die
Beiträge dieses Buches wollen von verschiedenen Ge-
sichtspunkten aus und unter Beteiligung zahlreicher nam-
hafter Autoren eine Antwort geben.

st 137 Zivilmacht Europa – Supermacht oder Partner?
Herausgegeben von Max Kohnstamm und Wolfgang Hager. Deutsch von Ruprecht Paqué
384 Seiten
Das Brüsseler Institut der Europäischen Gemeinschaft für Hochschulstudien versucht, mit diesem Band einen Überblick über die wichtigsten außenpolitischen Probleme zu geben, denen sich die jetzt neun Mitglieder der Europäischen Gemeinschaft gegenübersehen.

st 139 Hannes Alfvén, Atome, Mensch und Universum
Aus dem Amerikanischen von Jens Peter Kaufmann
128 Seiten
Der Leser, gerade jener Leser mit wenigen oder gar keinen Kenntnissen in den Naturwissenschaften, findet hier eine ausgezeichnete und fundierte erste Einführung in Entwicklung, Probleme und Argumentation naturwissenschaftlichen Denkens.

st 142 Magda Szabó, I. Moses 22. Roman
Aus dem Ungarischen von Henriette Schade und Géza Engl
224 Seiten
Magda Szabó hat dem Verhältnis zwischen den Generationen in ihrem Buch die Unmittelbarkeit der gelebten Wirklichkeit gegeben: in Ungarn, im Budapest des Jahres 1966. Die Gáls, Apothekenbesitzer, nach dem Krieg enteignet, gehören jetzt zu den »Gezeichneten«. Die Bartos, ehemals biedere Handwerker, haben jetzt ein Dienstauto, sie sind Stützen der Gesellschaft geworden. Für die Kinder beider macht das keinen Unterschied. Über die Köpfe der Eltern hinweg sind sie Freunde geworden; sie haben dasselbe Problem: gegängelt und doch sich selbst überlassen neben den Eltern zu leben. Die Welt der Eltern ist ihnen gleichgültig geworden, eine Scheinwelt, die sie nicht mehr betrifft, ja, mit der auseinanderzusetzen sich kaum lohnt.

st 150 Zur Aktualität Walter Benjamins
Aus Anlaß des 80. Geburtstags von Walter Benjamin herausgegeben von Siegfried Unseld
288 Seiten
Der vorliegende Band »Zur Aktualität Walter Benjamins« nimmt wichtige, hier erstmals publizierte Ab-

handlungen auf, die aus diesem Anlaß geschrieben worden sind, und Texte von Walter Benjamin, seine »Lehre vom-Ähnlichen«, eine umfangreiche Variante der Arbeit »Über das mimetische Vermögen«, den autobiographisch bedeutenden Text »Agesilaus Santander«, den Briefwechsel mit Bertolt Brecht und drei Lebensläufe, deren letzter kurz vor seinem Tod geschrieben wurde.

st 151 Hermann Broch
Barbara und andere Novellen
384 Seiten
Dieser Band legt eine Sammlung von 13 Novellen vor, die besten aus Brochs Gesamtwerk. Die früheste, *Eine methodologische Novelle,* wurde 1917 geschrieben, die späteste, *Die Erzählung der Magd Zerline,* 1949. Die Besonderheit dieser Sammlung besteht in der erstmaligen Präsentation aller vorhandenen Tierkreisnovellen in ihrer Ursprungsfassung.

Alphabetisches Gesamtverzeichnis der
suhrkamp taschenbücher